KB200312

지혜의 삶

대한시니어신문 칼럼

지혜의 삶

칼럼니스트 임인택

책을 내면서

필자는 본의 아니게 지난 2022년부터 《환경저널》과 《경기노인복지신문》 그리고 《대한시니어신문》의 칼럼을 집필해 오고 있다.

칼럼은 시사나 사회, 풍속에 대하여 객관적인 정보 전달보다는 평(評)하고 개인의 주장을 논리적으로 설파(說破)하는 작업이다. 그러므로 칼럼을 쓰는 사람은 다양한 지식과 정보와 그리고 신념과 철학이 필요하고, 자료도 찾아 공부해야 하며 그리고 통찰력과 분석력과 판단력도 갖추어야 한다.

그런데 필자는 그럴 만한 능력을 갖추지 못하고 있어 항상 부끄럽게 생각하고 있음에도 불구하고 현재까지도 계속 칼럼을 이어 오고 있고, 2023년도에는 그동안 집필했던 칼럼 75편을 1집으로 출간하기도 했다.

그리고 이번 출간에도 역시 그럴 만한 가치가 없음에도 불구하고 집필자로서, 글의 사라짐이 아쉬워 1집 이후로 집필한 80편의 칼럼을 다시 2집으로 출간하고자 하는 것이다. 분명한 것은 뛰어난 글이어서도 아니고, 그럴 만한 가치가 있어서가 아니라, 나름 쓴 글의 사라짐이 아쉽기 때문이다.

모쪼록 독자님들의 많은 이해를 바라는 마음이고, 읽으시는 모든 분께 행복과 평안을 바라 마지않는다.

저자 임인택 드림

목차

1.

감사하는 사람은 사망률이 29% 낮고, 장수한다 (2)

《대한시니어신문》 칼럼 2025.4.21.

감사하는 마음을 가지고 생활하는 사람이 더 건강하고 장수한다는 보고가 있었고(미 하버드대학 연구팀), 그 내용을 칼럼으로 집필한 적이 있습니다. (2024.8.12. 자 칼럼)

그런데 감사하는 마음과 감사하지 않는 마음은 서로 다른 것이 아닌 생각의 차이일 뿐입니다. 생각의 변화로 감사할 수 없는 마음이 감사한 마음으로 바뀔 수 있는 것이죠. '나는 도저히 감사할 수 없는 사람이야.' '감사할 수 있는 일이 전혀 없어'라고 얘기하는 사람도 생각을 바꾸게 되면 감사하지 않을 수 없다는 것을 깨닫게 된다는 얘기입니다.

우리 인간들은 처음부터 감사할 수밖에 없는 존재들입니다.

그 이유로는 우리가 지금 존재하고 있다는 것입니다. 다른 사람이 아닌 바로 내가 존재하고 있다는 것 자체가 감사한 일일 수밖에 없는 것이죠.

이제까지 우리는 존재하지 않았습니다. 세상에 태어나기 전까지는 나라는 존재는 없었습니다. 그래서 실패도 없었고 절망도 없었으며 아픔도 고통도 없었습니다. 그런데 우리는 지금 존재하고 있습니다. 그래서 기쁨도 아픔도 희망도 절망도 느낄 수 있는 것입니다. 그러니 우리가 느낄 수 있는 아픔과 고통을 포함한 모든 감정들이 다 감사함이 아닐 수 없는 것입니다.

존재함으로 밝은 태양을 바라볼 수 있다는 것이 얼마나 감사한 일인가요, 예쁜 꽃을 보고 맑은 새소리를 들을 수 있다는 것이 얼마나 감사한 일인가요, 그래서 아픔도 고통도 체험할 수 있다는 것이 얼마나 감사한 일인가요.

그러나 존재하지 않으므로 밝은 태양을 바라볼 수 없고, 예쁜 꽃을 볼 수 없고, 맑은 새소리를 들을 수 없는 것은 절망입니다.

아픔과 고통을 모르는 것이 절망이고, 실패와 좌절을 모르는 것이 절망입니다.

없다는 것, 존재할 수 없다는 것 이상의 불행이 있을 수 없고, 없다는 것, 존재할 수 없다는 것 이상의 절망이 있을 수 없습니다. 그러니 존재할 수 있다는 것이 얼마나 큰 축복이고 감사함이 아닐 수 없는 것이죠. 그것을 생각할 수 있다면 우리의 존재가, 또는 나의 존재가 얼마나 귀하고 소중한 존재인지를 깨닫게 됩니다. 그래서 감사할 수밖에 없는 것입니다.

감사함이 있는 곳에는 미움과 아픔이 있을 수 없습니다. 감사함이 있는 곳에는 믿음과 사랑이 있으며, 감사함이 있는 곳에는 분열과 다툼이 있을 수 없고, 감사함이 있는 곳에는 이해와 용서가 있습니다.

그리고 감사함이 있는 곳에는 불평, 불만이 있을 수 없고, 감사함이 있는 곳에는 나눔과 감사가 있으며, 감사함이 있는 곳에는 좌절과 절망이 있을 수 없고, 감사함이 있는 곳에는 희망과 용기가 있습니다.

필자는 매일 아침, 감사함으로 하루를 시작합니다. 물론 재물이 있어서 감사한 것도 아니고, 권력과 명예가 있어서 감사한 것도 아닙니다. 가진 것과 자랑할 것은 아무것도 없습니다. 부끄럽기까지 합니다. 그럼에도 불구하고 진정 감사합니다. 저에게는 매일같이 기적이 일어나고 있습니다. 분명 그렇게 느끼고 있습니다. 그래서 무한한 감사함을 느끼지 않을 수 없습니다. 그 이유로는 오늘도 '걸을 수만 있다면' 하고 간절히 원하고 있는 사람들이 있고, 또 '먹고 싶은 것을 먹을 수 있는 건강이 있다면' 하고 간절히 원하고 있는 사람들이 있는 반면, 나는 오늘 걸어갈 수 있고, 먹고 싶은 것 먹을 수 있는 건강이 있으니, 어찌 감사하지 않을 수 있겠는가 하는 것입니다. 그럴 이유가 없는 저에게 말입니다. 아직 존재해 있을 수 있고, 걸어갈 수 있으며 먹을 수 있는 건강이 있다는 것은 분명 감사함이 아닐 수 없습니다.

그런데 감사함은 느끼는 것만큼이라고 생각합니다. 간절함에 대해 90만큼 느낀다면 감사함도 90만큼 느낄 수 있고, 간절함에 대해 30만큼 느낀다면 감사함도 30만큼 느낄 수 있습니다.

또한 아직은 내가 살아 있다는 것에 감사하지 않을 수 없습니다.

누구나가 경험하는 것이지만 필자는 여러 번 화장장(시체를 화장하는 곳)에 가 본 경험이 있습니다. 그리고 불 속에 들어가기 위해 순서를 기다리는 모습을 봅니다. 그리고 잠시 후엔 하얀 가루로 변하여 나타나게 되죠.

그래서 필자는 힘들고 마음이 괴로울 때는 그 생각을 해 보는 겁니다. '지금 내가 죽어서 불 속에 들어갈 순서를 기다리고 있는 중이고 그리고 순서가 되어서 불 속에 들어가게 되면 그것으로 모든 것은 끝나게 되고 세상에는 두 번 다시는 올 수 없게 되며 미운 사람 싫은 사람 모든 사람들도 다시는 볼 수 없게 된다'는 것을 생각하게 되면, 지금 내가 이렇게 아직 세상에 존재해 있다는 것이 얼마나 즐겁고 감사한지 모르겠고 그리고 세상의 존재하는 모든 아픔과 고통과 미움을 포함한 모든 대상들이 다 아끼고 사랑해야만 할 대상들이고 또 사람들임을 깨닫게 되죠. 그리고 힘들고 괴로운 마음도 즐거운 마음으로 바뀌게 되는 것입니다. 저는 매일같이 이러한 생각의 생활을 합니다. 그렇게 하면 어떠한 힘든 일도, 어려운 갈등도 다 가볍게 생활할 수가 있습니다. 아주 가볍고 즐거운 마음으로요.

죽음은 막연한 미래가 아닙니다. 현실이고 사실입니다.

지금 바로 그렇게 이루어질 일들입니다. 그런데 사람들이 그것을 생각하지 않고 생활하니까, 힘들고 갈등하고 미워하게 됩니다.

세상의 모든 대상은 오직 아끼고 사랑해야만 할 대상들이고 감사의 대상들일 뿐입니다.

감사하는 마음은 어둠이 아닌 빛의 마음입니다. 그래서 마음이 밝아집니다. 가진 것이 없어도 실패를 해도 마음이 밝아집니다. 그리고 미운 사람, 싫은 사람도 없어지고 겸허해져야 함을 느끼게 되며, 모든 사람이 이해하고 아껴야 할 대상들임도 깨닫게 됩니다. 감사하는 마음은 행복한 마음이고 부족함이 없는 마음입니다.

빛이 오면 어둠이 사라지듯이, 감사함이 있는 곳에는 미움과 다툼이 있을 수 없고 사랑과 기쁨과 즐거움만이 있습니다. 그래서 감사할 수 있는 사람은 건강할 수 있고 장수할 수 있습니다. 감사의 삶을 살아가야 합니다.

감사는 생각을 바꿉니다.

2.

고통과 아픔은 축복이다

《대한시니어신문》 칼럼 2025.4.14.

우리는 가끔 보도를 통해 재벌 2세들의 탈선행위를 보게 된다. 마약과 도박과 유흥으로 재산과 몸과 가정을 망친다. 또 성서에는 탕자의 얘기가 나온다. 세상 물정 모르는 아들이 재산을 상속받아 탕진하고 몸까지 망치고 후회하는 얘기다.

정신적으로 성숙하지 못한 자에게 주는 물질의 축복은 해(害)가 된다.

아픔과 고통을 모르기에 이해하고 용서하고 사랑할 줄 모르며 삶의 진정한 의미를 깨닫지 못한다. 신(神)은 인간들이 물질을 얻기보다는 먼저 지혜를 찾고 성숙하기를 바란다.

인간들은 자신의 부족함이나 바람을 신(神)에게 간구한다. 그러나 신은 구하는 자에게 무조건 주지는 않는다. 먼저 시련과 역경을 통해 지혜를 찾고 성숙한 삶을 요구하며, 그것이 이루어졌을 때 물질의 축복도 준다.

물질보다는 지혜를 찾아야 한다. 물질과 지혜는 상반되는 것, 둘을

다 동시에 얻을 수는 없다. 물질을 얻으려면 지혜를 얻을 수 없고, 지혜를 얻으려면 물질을 얻을 수 없다. 지혜가 없는 물질은 부패하고, 지혜가 없는 권력은 위태로우며, 지혜가 없는 명예 또한 가치가 없다.

포난(飽煖)에 사음욕(思淫慾)이란 말이 있다. 배부르고 등 따뜻하면 음욕이 생기고 부패한다는 말이다. 또 작금의 우리 사회에서 일어난 일들이 그렇다. 지혜가 없는 처사로 나라는 온통 혼란과 불안에 빠졌고 국민은 서로 불신과 갈등에 빠지게 됐다.

물질은 육신을 위하고 지혜는 성숙을 위한 것, 먼저 지혜를 찾고 성숙한 삶이 돼야 한다. 성숙은 겸손과 이해와 용서와 사랑이다.

지식은 책 속에서 얻을 수 있지만 지혜는 삶 속에서 얻고, 지식은 사람을 교만하게 할 수 있지만, 지혜는 겸허하게 하며, 지식은 세상에서 필요한 것이지만 지혜는 세상과 영원에서도 필요하다. 지혜를 찾아야 한다.

그러나 지혜와 성숙은 안일과 평안 속에서는 얻을 수 없고 고통과 어려움 속에서 얻을 수 있다.

아픔을 모르는 자에 대한 물질의 축복은 영혼에 해가 된다. 먼저 지혜를 찾고 성숙해야 한다. 그러기 위해서 우리에게 닥쳐오는 어떠한 시련과 고통도 참고 인내할 수 있어야 한다.

아픈 사람들의 아픔을 알고 고통받는 사람들의 고통을 알 수 있다는 것은 축복이다. 그러므로 지금 내가 그 아픔들을 체험하고 있다는 것, 고통을 체험하고 있다는 것은 그 자체가 축복인 것이다. 기쁜 마음으로 체험할 수 있어야 한다.

3.

여생은 삶의 시작이다

《대한시니어신문》 칼럼 2025.4.7.

나이가 들면 고집이 세지고 남의 말도 잘 안 듣고 그리고 자기주장만 내세우게 된다. 일에서 은퇴하게 되면 생각도 은퇴하게 되고 그래서 생각과 행동은 과거에 머무른다. 고여 있는 물은 부패한다. 물은 흐르는데, 세상은 변하고 새로워지는데 고여 있는 물은 은퇴 전 생각에 머무르고 있고 현실에 적응할 수 없게 된다. 생각이 과거에 머물러 있으니, 고집과 아집으로 남을 수밖에 없다.

나이가 들었어도, 은퇴했어도 새로운 일에 도전하고 창조해야 한다. 그때 자신을 재발견할 수 있게 되고 고루(固陋)하고 잘못된 생각과 행동들을 깨닫게 된다. 물론 새로운 도전이 꼭 경제 소득을 위한 것만은 아니다.

건강 비결을 묻는 기자에게 노익장을 과시하는 이시형 박사(91세)는 "이 나이에도 삶의 목표를 잃지 않는 게 비결이라면 비결이겠다. 나이가 얼마이든 삶의 목표를 가지는 게 면역력에 중요하다. 삶의 목표가 뚜렷하면 그걸 이루기 전까지 쉽게 늙거나 아프지 않게 된다." "힘과 능력이 있는데도 아무 일도 않는 것은 사회에 죄를 짓는 것이다."라고 얘기하고 있다.

우리는 여생(餘生)이란 말을 한다. 그리고 여생은 나머지의 삶으로 아무것도 할 수 없는 자투리 정도의 쓸모없는 부정적 의미의 삶으로 생각하기도 한다. 나머지의 삶을 소일(消日)이나 하다 죽음을 맞이하면 된다고 생각도 한다. 잘못된 생각이 아닐까?

여생이란 쓸모없는 나머지의 삶이 아니라, 그래서 소일이나 하다가 죽음을 맞이하면 되는 무책임한 삶이 아니라, 새로운 일에 도전하고 시작해야 하는 중요한 시간이 아닐지 생각된다.

달리기하는 것과도 같다. 출발 지점도 중요하고, 중간 지점도 중요하지만, 마지막 지점이 더 중요하다. 마지막 지점에서 성공해야 모든 것에 성공할 수 있다. 마지막 지점이라고 해서, 다 왔다고 해서 안일하고 소홀히 하는 것은 이제까지 힘들게 달려온 길을 포기하는 것과도 같다. 끝까지 달려야 한다.

일반적으로 죽음을 마지막이라고 생각한다. 그래서 마지막 시점에서 편히 소일이나 하다가 편히 죽음을 맞이하면 된다고 생각한다.

그러나 그렇게 생각하는 것이 아직은 성급한 생각이 아닌가 하는 생각이 든다. 우리는 자신의 태어남과 존재함에 대하여 모른다. 그런데 어떻게 죽음에 대하여 쉽게 결론지을 수 있는지.

어쩌면 여생의 삶은 고리의 삶과도 같을지 모른다는 생각도 해 본다.

애벌레의 삶이 한 마리 나비의 삶의 고리의 삶과 같이 말이다.

마지막 지점이라고 해서 안일하고 소홀히 하는 것은 이제까지 힘들게 달려온 길을 포기하는 것과도 같다. 소일이나 하고 과거의 생각에 갇혀 있는 여생이 아니라, 새로운 삶에 도전하고 창조하는 삶이 돼야 한다. 시간을 낭비하는 것만큼 큰 죄는 없다. 시간이 많지 않다. 촉박하지 않을 수 없다. 도전하고 창조해 나가야 한다.

4.

존재의 이유

《대한시니어신문》 칼럼 2025.3.31.

삶에는 많은 고통이 있다. 죽음의 고통, 질병의 고통, 빈곤의 고통 등 많은 고통이 있다. 그러기에 고해(苦海)라고 하여 삶 자체가 고통임을 얘기해 주고 있다. 그러나 이러한 고통이나 아픔들에 대해 두려워하거나 걱정할 필요는 없다. 그것들은 우리가 사랑하고 나누고 보살펴 줄 대상들이며 대상 없이는 사랑할 수도, 나눌 수도, 보살필 수도 없기 때문이다.

세상에 고통도 아픔도 빈곤도 없다고 한다면 거기에는 사랑하고 나누고 보살펴 줄 일도 없기에 그러한 세상은 삭막한 세상으로 느껴질 것이다.

빛이 어두움 때문에 존재하고 소금은 맛이 있기에 존재하는 것처럼, 나눔과 사랑은 굶주리고 고통받는 이들이 있기에 존재한다. 고통과 아픔이 있다는 것은 바로 나누고 사랑할 수 있는 기회이며, 삶이 성숙될 수 있는 기회이다. 그러기에 세상의 삶은 걱정해야 할 고해가 아닌 아름다운 삶이라 할 수 있다.

고통과 아픔을 모르면 남의 고통과 아픔도 알 수 없고, 그래서 사랑도 할 수가 없다. 지구상에는 매 5초마다 1명의 어린이가 단지 먹을 것이 없어 굶어 죽어 가고 있고, 10억여 명의 사람들이 배고픔과 만성적 영양실조에 시달리고 있으며, 먹을 것을 해결하기 위해 어린이 2억 5천만 명 정도가 노동에 종사하고 있다고 한다.

또 언제인가 명동성당 앞에 기아에 죽어 가는 어린이의 모습이 담긴 사진이 있었고, 그 밑 자막에는 "이 아이가 굶어 죽어가는 것은 당신의 책임입니다"라고 쓴 글귀를 보고 처음에는 그 말을 이해할 수 없었으나 그러나 그 아이들이 죽어 가는 것은 바로 무관심한 우리들의 책임이고, 우리가 그들에게 나누어 주지 않았기 때문임을 깨닫게 됐다.

빛이 존재하는 것은 어두움이 있기 때문인 것과 같이, 사랑이 존재하는 것은 사랑받아야 할 대상이 있기 때문이고, 나눔이 존재하는 것은 나눔받아야 할 대상이 있기 때문이며, 용서가 존재하는 것은 용서받아야 할 잘못한 대상이 있기 때문이다. 어두움이 없다면 빛이 존재할 이유가 없고, 배부른 자들만 있다면 나누어 줄 일이 없으며, 잘못함이 없다면 용서할 일도 없다. 그러므로 우리가 존재하는 것은 바로 우리의 사랑과 도움을 바라고 기다리는 고통 받는 소외된 이들이 있기 때문이고, 그들이 있기에 우리가 존재해야 할 이유가 된다.

세상에 풍요로움만 있다면, 건강함만 있다면, 잘못함이 없다면 그래서 고통과 시련과 아픔이 없다면, 나누고 보살피고 용서하고 사랑해 줄 일도 없고 그래서 사랑이 존재할 일도 없으며 사랑이 완성되어 가는 일도 없을 것이다.

캄캄한 어두움이 있기에 별은 더욱 빛나고 아름답다. 어두움 없이 빛만 존재한다면 빛의 의미와 가치를 알 수 없고, 고통받고 소외되고 굶주린 이들이 없다면 우리가 존재할 가치와 의미를 알 수 없다. 그러나 그들의 아픔과 굶주림을 보고만 있고 우리의 책임과 의무를 하지 않고 있다면, 우리는 오늘도 그들을 죽이는 행위를 하고 있는 것과 마찬가지일 수 있다. 잘못한 것만이 아니라 무관심한 것이 죄고 할 일을 하지 않는 것이 바로 죄가 된다. 우리의 책임과 의무를 다해야 할 것이다.

5.

갈등 없이 사는 법

《대한시니어신문》 칼럼 2025.3.25.

마음의 평안이 행복이다. 마음이 불편하면 행복할 수 없다. 재물이 많아도, 권력이 있어도, 명예가 있어도 갈등하고 마음이 편안하지 못하면 행복할 수 없다. 마음이 편안해야 한다.

물이 흘러가면서 거침없이 흘러가기도 하고, 바위에 부딪쳐 맴돌기도 하며, 벼랑에 떨어져 흐르기도 하고, 때로는 구렁에 갇혀 머뭇거리며, 산에 가로막혀 돌아가기도 한다. 바위가 없다면, 벼랑이 없다면, 구렁이 없다면, 물은 거침없이 흘러갈 수 있다. 그러나 그러지를 못한다. 그렇다고 물이 멈춰 선 적은 없다. 바위가 있다고, 벼랑이 있다고, 구렁이 있다고, 갈 길을 가지 못한다고 불평하고 갈등하지 않는다. 자연스러운 것이기 때문이다. 그러기에 물은 흘러갈 뿐이고 자신이 갈 곳으로 갈 뿐이다.

삶도 마찬가지다. 고통 속에서 괴로울 때가 있고, 좌절할 때가 있으며, 힘들고 소외될 때가 있고, 욕을 먹고 멸시와 수모와 창피를 당할 때가 있다. 또 때로는 오해를 받고, 억울함을 당하고, 분하고, 그리고 버림받을 때도 있다. 그러나 물이 흘러가듯 가면 된다. 그것이 삶이다. 바위가 있으면 돌아가면 되고, 벼랑이 있으면 잠시 떨어졌다 가면 되며, 구렁이 있으면 머물다 가면 되고, 산이 있으면 돌아서 가면 된다. 물이 흘러가듯 가면 된다. 갈등하고 힘들어해서는 안 된다.

오해받을 수밖에 없기에 오해받고, 멸시받을 수밖에 없기에 멸시받으며, 버림받을 수밖에 없기에 버림받는다. 그럴 수밖에 없는 것을 그러지 않으려 하기에, 고통이 되고 아픔이 되며 갈등이 된다. 바위가 있는 것이, 벼랑이나 구렁이 있는 것이, 산이 가로막혀 있는 것이 자연스러운 것처럼, 나를 힘들게 하는 요인들이 있는 것이, 방해하는 요인들이 있는 것이 다 자연스러운 것이다. 왜 내가 가는 길에 있느냐고 불평할 수 없고, 힘들게 하느냐고 얘기할 수 없다. 내가 가는 것도, 상대가 거기에 있는 것도 다 자연스러운 것인데, 멈춰 서면 되고 맴돌아 가면 된다. 갈등해서는 안 된다. 마음이 평안해야 한다.

어쩌면 반대로 흘러오는 물이 가만히 서 있는 바위에 장애가 될 수 있고, 벼랑이나 구렁에도 장애가 될 수 있듯이, 마찬가지로 나 자신도 내게 장애로 생각되는 사람들에 대해 장애가 될 수 있고 힘들게 하는 요인이 될 수 있으며 실패하게 하는 요인이 될 수 있다. 그런 것을 내 입장에서 내 기준으로만 생각하고 갈등해선 안 된다. 자연스러운 것임을 깨닫지 못하면 물은 멈춰서야 하고, 우리는 갈등하고 힘들어할 수밖에 없다.

바위에 부딪친 물이 맴돌아 다시 흐르듯, 구렁에 빠진 물이 머물다 다시 흐르듯, 오해도 멸시도 버림받음도 다 그런 것이면 되고, 벼랑에 떨어진 물이 잠시 아픔을 안고 다시 흐르듯, 산에 가로막힌 물이 힘들지만, 모롱이를 돌아 다시 흐르듯 실패도 좌절도 그런 것이면 된다. 갈등해서는 안 된다.

그렇다고 해서 모든 것을 운명에 맡기고 가만히 있으면 된다는 얘기는 아니다.

중요한 것은 갈 길을 간다. 물이 멈춰선 적이 없듯이 삶도 마찬가지다. 끝까지 가야 한다. 멈춰 서서는 안 되고 가고자 하는 곳까지 목적지까지 끝까지 가야 한다.

갈등해서는 안 된다. 마음이 평안해야 한다. 그것이 행복이다.

6.

선거 관리와
선관위 관리

《대한시니어신문》 칼럼 2025.3.10.

감사원은 지난 2023년 5월 선관위 사무총장과 사무차장 자녀의 선관위 경력직 특혜 채용 의혹이 불거지면서 약 1년 9개월 동안 인력 관리 실태를 감사했다.

발표에 의하면 선거관리위원회는 지난 10년간 291차례의 경력직 채용을 하면서 878건의 규정 위반을 했고, 위반이 없었던 채용은 단 한 차례도 없었다고 한다. 채용 공고도 없이 직원 자녀를 내정하거나 시험위원을 내부 인사로만 구성해 자녀의 면접 점수 등을 조작하고, 고위직 나눠 먹기, 장기 무단결근, 급여 과다 수령, 병가 셀프 결재, 근무 중 로스쿨 진학과 졸업 등 부정과 비리가 막장 상태였고, 감사가 시작되자 비리 관련 자료를 없애거나 허위 진술을 강요하기도 했다고 한다.

이에 감사원은 채용 비리에 연루된 전·현직 선관위 관계자 32명에 대해 징계·주의 등의 조치를 하라고 요구했다.

보도된 기사를 읽으면서 어느 나라 공무원들의 얘기인지 꿈같은 얘기를 듣는 것만 같다.

어이가 없는 일이다. 북한 독재 체제하에서나 아니면, 절대 왕정 시대에나 있을 수 있는 일이 벌어지고 있다. 어떻게 대한민국에서 이런 일이 일어날 수 있는 건지 기가 막힌다. 물론 공직사회에 비리가 전혀 없다는 얘기는 아니다. 그러나 이렇게 없는 자리를 만들어 세습시키고 규정에도 없는 관사를 만들어 주고 면접관을 아버지의 친구들로 구성하고, 또 점수표를 공란으로 제출토록 하여 점수를 조작했다고 하니 공직사회가 아니라 사기 집단과 다를 것이 없다. 무엇보다 '헌법상 독립기구'임을 내세워 설립 후 60여 년 동안 단 한 번도 감사원의 직무 감찰을 받지 않았고, 비리 의혹이 드러났는데도 자체 감사를 통해 면죄부를 줬다고 하니 놀랍기만 하다.

노태악 선관위원장은 대국민 사과문에서 "이번 사건으로 선거관리위원회에 대한 국민 신뢰가 흔들리고 있다는 것을 잘 알고 있다"며 "선관위의 조직 운영에 대한 불신이 선거 과정에 대한 불신으로 이어질 수 있다는 것에 책임을 통감하고 있다"고 했다.

맞는 말이다. 어느 국민이 의심하지 않겠는가. 불공정한 데서 공정이 나올 수 있고, 불법인 곳에서 적법이 나올 수 있다고 믿을 수 있겠는가.

공직자는 외부 통제 이전에 스스로 자기 통제를 할 수 있어야 한다. 스스로 자기 통제를 할 수 없는 사람은 공직자로서 자질이 없다. 그러면서 어떻게 국민을 위해 일한다고 할 수 있고, 가장 공정해야 할 선거 관리를 잘할 수 있다고 믿을 수 있겠는가. 10년간 291차례의 경력직 채용에서 878건의 규정 위반이 적발됐고, 위반이 없었던 채용은 단 한 차례도 없었다고 하니 참으로 부끄러울 뿐이다. 단순히 규정 위반이 아니라 법을 파괴한 범죄 행위다.

그런데 헌법재판소는 만장일치로 '선관위는 감사원의 감사 대상이 아니다'라고 결정했고, 더불어민주당은 감사원의 직무 감찰 대상에서 선관위를 제외하는 내용의 감사원법 개정안을 발의했다. 그러면서도 감사 결과에서 드러난 878건의 채용 비리에 대해서는 언급하지 않고 있다.

우리는 여기서 분명히 해야 할 일이 있다. 우선 이 사건에 대해서는 선관위원장의 사과로만 끝내서는 안 된다. 비리에 연루된 관련자들에 대해서는 국민들이 납득할 수 있도록 명명백백 상응한 조치를 취해야 하고, 어물쩍 대국민 사과로만 끝내서는 안 된다. 그리고 두 번째로 앞으로의 감찰 문제는 내부 감찰이 아닌 외부 감찰이 돼야 한다. 내부 감찰은 훔친 사람이 도둑 잡겠다고 하는 것과 무엇이 다른가. 語不成說이다. 또한 국회도 안 된다. 이해관계가 달린 국회에서 감찰을 할 수 없다. 그리고 감사라는 전문 분야의 업무를 어떻게 국회에서 감당할 수 있는가. 감사의 전문 부서인 감사원에서 할 수 있도록 법적 근거를 만들거나, 특별감사관 제도 등 외부 감찰 제도를 마련하여 시행해야 할 것이다.

7.

부끄러운 일이다 (2)

《대한시니어신문》 칼럼 2025.3.17.

'부끄럽다'라는 말은 일을 잘 못하거나 양심에 거리끼어 볼 낯이 없거나 매우 떳떳하지 못한 상태를 말한다.

우리는 살아가면서 양심의 가책을 받는 부끄러운 일들을 많이 하며 살아간다.

그런데 우리가 미처 생각하지 못하는 부끄러운 일이 또 하나 있다. 바로 나만을 위해 살아가는 삶이다. 남에 대해서는 관심도 없이 오직 나 자신만을 생각하고 나 자신만을 위해 살아가는 삶이다. 우리는 모두 한 공동체다. 나 혼자서 존재할 수 있는 것이 아니다. 그런데 남이야 어떻게 되든 간에 '나만 잘 먹고 잘살면 되지' 하는 생각은 부끄러운 일이고, '나만 근심, 걱정 없이 편하게 살면 행복이지' 하는 생각은 정말 부끄러운 일이 아닐 수 없다. 각자의 삶은 공동체의 완성을 위해 존재한다. 우리는 한 몸이고 한 공동체다. 그래서 나만을 위해 내 중심적으로 살아갈 수가 없다. 형제가 고통스러우면 내가 고통스러운 것이고, 이웃이 힘들면 같이 힘든 것이다. 그런데 나만을 생각하고 이웃에 대해 관심이 없다면 그것이 부끄러운 일인 것이다.

우리는 지난번 팬데믹을 통해 전 세계가 고통을 겪는 경험을 했다. 세계적으로 코로나 확진자 수는 전체 인구의 9.6%에 해당하는 7억 7천만 명이었고, 그중 사망자 수는 700만 명이었으며, 우리나라의 사망자 수만도 3만 4천 명이었다. 너와 내가 따로 있을 수 없다. 인간 공동체는 이웃에 대해 무관심할 수 없는 존재다. 나만 잘한다고 되는 것이 아니고, 나만 건강하면 되는 것이 아니다. 한 배를 탄 배가 풍랑을 맞았을 때 나만 살 수 있는 것이 아니지 않는가. 나만 편하고 행복하면 되는 것이 아니라, 모두가 행복할 수 있을 때 그때 진정으로 행복할 수 있다.

정치도 마찬가지다. 우리 당만 잘 살면 된다고 생각할 수 있는가. 여당 혼자 잘 살 수 있는가. 아니면 야당 혼자 잘 살 수 있는가. 바보스러운 일이다. 대한민국은 한배다. 풍랑을 맞으면 다 같이 침몰한다. 나밖에 모르는 삶은 벌레들의 삶과 다를 것이 없다. 높은 사람이든, 돈이 많은 사람이든, 지식인이든, 성직자든 나만을 위해 사는 사람은 부끄러운 사람들이다.

인간의 능력이 얼마나 있는가. 지식은 얼마나 있는가. 겸허해야 한다. 인간은 하나 될 수 있을 때 잘 살 수 있고, 서로 이해하고 협력할 수 있을 때 그때 모두 행복할 수 있다. 나만을 위한 삶이 아닌 더불어 함께

하는 삶이 돼야 한다. 배고픈 사람의 배고픔을 모르고 소외되고 헐벗고 버림받은 이들의 아픔을 모르는 삶이 바로 양심의 가책이 되는 부끄러운 일이다.

잠시 후면 다 떠나간다. 세상의 가치도 떠나간다. 자랑할 것도, 내세울 것도 없다. 우리는 한배를 탄 공동체라는 것을 잊어서는 안 된다. 아직도 나만을 생각하고 나만을 위해 살아가고 있다면 정말 부끄러운 일이 아닐 수 없다.

8.

易地思之
(역지사지)

《대한시니어신문》 칼럼 2025.2.24.

'不恨自家汲繩短(불한자가급승단)하고, 只恨他家苦井深(지한타가고정심)이로다.

자기 집의 두레박줄이 짧은 것은 탓하지 않고, 남의 집 우물이 깊은 것만을 탓한다.'

(『명심보감』)

내 두레박줄에는 문제가 없다는 얘기다. 그렇다면 우물집 주인도 그렇게 생각할까. 그렇지가 않다. 우물집 주인 역시 우물 깊이에는 문제가 없다고 얘기할 것이다. 여기에서 다툼이 있고 갈등이 생긴다.

갈등은 '서로 간의 이해관계가 달라 불화를 일으키는 상태'로, 이해관계의 충돌이 갈등이 된다. 그런데 우리가 갈등하며 살아갈 일이 있는가. 그럴 이유가 없다. 갈등은 스트레스와 정신건강에도 좋지 않다. 갈등은 나의 기준에서 생각하기에 갈등이 생긴다. 나의 기준이 아닌 상대의 기준에서 생각할 수 있고 상대의 기준에서 판단할 수 있다면, 상대를 이해할 수 있게 되고 그래서 갈등 또한 있을 수 없다. 易地思之(역지사지)다.

나의 가치 기준은 어디까지나 내 중심적인 이기적 기준이고 판단이지, 상대의 기준은 될 수 없다. 그리고 내 기준이 반드시 옳은 것도 아니다.

상대는 상대의 기준으로는 주장하는 그것이 옳고 당연하며 최선의 것이고, 틀린 것이 아닌 맞는 것이다.

그것을 인정하고 이해해야 한다.

그런 것을 내 기준에 맞지 않는다고 갈등하고 힘들어하는 것은 잘못이다.

갈등이 있을 때에 우리는 보통 '내가 참지', '내가 좀 손해 보면 되지' 하고 마음속에 갈등을 눌러 놓는다. 그렇다면 갈등이 해결될 수 있는 것인가. 마음이 편안해질 수 있는 것인가. 그런데 그렇지가 않다. 참는다는 것은 마치 스펀지를 눌러 놓은 것과 같다. 스펀지는 잠시 눌려 있을 뿐 본래 상태로 되돌아온다. 오히려 참는 갈등은 시간이 흐를수록 누적된다. 그리고 나는 참았는데 내가 손해를 봤는데 하며 참았던 갈등이 되살아나고 더 큰 서운함과 미움으로 바뀐다. 갈등을 가지고 있으면 누가 손해를 보는가. 갈등을 가지고 있는 사람이다.

생각을 바꿔야 한다. 갈등은 참는 것이 아니라 처음부터 갈등이 없어야 한다. 갈등이 존재치 않게 해야 한다. 그러기 위해서는 모든 일을 내 기준에서 생각할 것이 아니라 상대의 기준에서 생각해야 한다. 갈등은 상대적이다. 그래서 상대가 생각하는 기준에서 생각하게 되면 갈등 자체가 존재치 않게 된다. 내 생각 내 기준이 반드시 맞는 것이 아니다. 혹 맞는다 하더라도 상대의 생각은 상대의 기준에서는 그것이 맞는 것이다. 단, 서로 간 기준의 차이가 다를 뿐이다. 그러므로 정답이 없다. 내 입장에서는 내 기준의 생각이 정답이고 상대는 상대의 기준에서의 생각이 정답이다. 내 기준에 맞춰질 수는 없다.

우리가 살아가면서 갈등 없이 살아갈 수는 없다. 그러나 이처럼 역지사지하게 되면 상대를 이해할 수 있게 되고, 내 생각만을 주장하는 것이 잘못된 것임도 알게 된다. 그리고 역지사지하게 되면 생활이 밝아진다. 갈등으로 힘들었던 생활들이 놀랍도록 긍정적인 삶으로 바뀌게 된다. 易地思之해야 한다.

9.

飽煖(포난)과 飢寒(기한)

《대한시니어신문》 칼럼 2025.2.17.

'飽煖(포난)에 思淫慾(사음욕)하고 飢寒(기한)에 發道心(발도심)이니라.

배부르고 따뜻하면 음욕이 생기고, 배고프고 추우면 바르고 착한 마음이 생긴다.'

(『명심보감』)

우리가 생각할 때 물질적으로 부유하고 가진 것이 많은 사람들이 힘들고 가난한 사람들을 많이 도와줄 수 있다고 생각한다. 물질적으로 여유가 있기 때문이다. 그런데 과연 그럴 것인가. 그렇지가 않다. 많은 부자가 가지지 못한 사람들을 도와주지 못한다. 오히려 어려운 사람들, 힘든 처지에 있는 사람들이 이웃을 더 생각하게 되고 그들을 도와준다. 이유는 부유한 사람들, 배가 부른 사람들은 춥고 배고픈 사람들의 어려움을 이해할 수 없기에 그들을 도와줄 수 없고, 반면 어렵고 힘든 사람들은 고통과 어려움을 알기에 그들을 도와줄 수 있다.

물질적으로는 가난하지만 마음까지도 가난하지는 않다. 마음이 부유한 사람들이 많이 있다. 마음에 자유와 평화를 느끼며 살아가는 사람들이 많이 있다. 인간의 가장 기본적인 正道를 지키며 살아가려고 노력하는 가난한 사람들이 많이 있다.

얼마 전 서울 어느 주민센터 현관에서 저금통과 함께 편지가 발견됐다는 보도가 있었다. 저금통에는 동전 25만 6,170원이 들어 있었고, '사랑합니다'라고 쓴 편지봉투에는 두 장의 손 편지와 함께 현금 10만 원이 담겨 있었다. 누군가 35만 원이 넘는 돈을 두고 간 것이다. 기부자는 같은 동네 반지하 방에 살았다고 하면서 따듯하게 잘 지내고 간다는 내용이었다.

이분도 분명 지하방에서 어렵게 살아가고 있는 분임에도 불구하고 같은 처지에 있는 사람들의 아픔을 알기에 그들을 생각할 수 있는 것이다. 가진 것은 없지만 그들에겐 정과 사랑이 있고 평안과 평화가 있다.

그러나 가진 것이 많은 사람들, 배가 부른 사람들은 춥고 배고픔의 어려움을 모르기에 그들을 이해할 수 없고 그들의 어려움을 느낄 수가 없다. 더욱이 배가 부르고 등이 따뜻한 사람들은 다른 생각을 하게 된다. 육체적 만족을 생각한다.

인간의 육체는 유혹을 받게 돼 있다. 물론 자신으로부터의 유혹이다. 바로 여유로울 때가 그렇다. 물질적으로 여유롭고 시간상으로 여유로울 때 그때 유혹을 받게 된다. 육신의 만족과 안일을 추구한다. 쾌락에 빠지고 중독에 빠지며 패가망신하기도 한다. 물질이 주는 독이다. 물론 가진 것이 없는 어려운 사람들에게는 언감생심(焉敢生心), 하루하루 살아가기에도 고달프다. 그래서 가난한 사람은 복(福)이 있다고 했는지도 모른다. 그리고 또 애통해하는 사람은 복이 있다고 했다. 현실의 어려움이 어려움이 아닌 복이 된다는 것을 깨닫게 된다는 얘기다.

겸허해야 한다. 가진 자는 갖지 않은 자처럼 살아가야 하고, 높은 자는 낮은 자처럼 살아가야 하며, 배가 부른 사람은 배고픈 사람처럼 살아가야 한다. 그래야 마음이 맑아지고, 마음이 맑아져야 유혹에 빠지지 않으며, 정도(正道)를 살아갈 수 있게 된다.

물질의 가난은 가난이 아니다. 이해할 수 없고 용서할 수 없고 나누고 사랑할 수 없는 마음의 가난이 가난이다. 물질의 부유가 아니라, 마음이 부유해야 한다.

배부르고 등 따뜻하게 되면 유혹이 오고 음욕이 생기지만, 배고프고 추우면 바르고 착한 마음이 생긴다. 기한(飢寒)에 발도심(發道心)이다.

10.

憂生於多慾 (우생어다욕)

《대한시니어신문》 칼럼 2025.2.10.

'憂生於多慾(우생어다욕)하고, 禍生於多貪(화생어다탐)한다.

근심은 욕심이 많은 데서 생기고, 재앙은 탐욕이 많은 데서 생긴다.'

(『명심보감』)

삶을 고해(苦海)라고도 한다. 고통에는 육체에서 오는 고통과 마음에서 오는 고통이 있고, 마음의 고통을 번뇌(煩惱)라 한다. 번뇌는 '마음이 시달려 괴로운 것 또는 심신을 괴롭히는 노여움, 욕망 따위의 망념을 말하는 것'으로, 불가에서는 백팔번뇌(百八煩惱)라 하여 인간의 마음속에 많은 번뇌를 얘기한다. 삶은 끊임없는 번민과 번뇌다.

번뇌는 왜 오는 것인가, 왜 번뇌하며 괴로워해야 하는 것인가.

집착(執着)하는 마음 때문이다. 집착하는 마음 때문에 번뇌하고 괴로워한다. 인간의 모든 번뇌는 집착하는 마음에서 온다고 할 수 있다. 집착이란 '마음이 늘 쏠려 떨치지 못하고 매달려 있는 상태'로 마음이 어느 한곳에 사로잡혀 있어 그것에서 헤어나지 못하고 괴로워하는 상태다. 즉, 세상적인 것에 사로잡혀 그것에서 헤어나지 못하고 괴로워한다. 이러한 집착 때문에 우리는 끊임없이 번뇌한다.

그러면 집착은 왜 오는 것인가. 왜 집착해야만 하는가.

욕심 때문이다. 욕심 때문에 집착하고 번뇌한다. 욕심이란, '무엇을 탐내거나 누리고자 하는 마음'으로 물질적이든 정신적이든 자기중심적인 것이다. 인간들은 끊임없는 욕심과 욕망을 가지고 있고, 이러한 욕심들이 인간들을 집착하고 번뇌하게 한다. 욕심이 없다면 집착할 이유도 없다.

그러면 욕심은 왜 오는 것인가. 왜 욕심을 버리지 못하고 집착해야만 하는가.

교만의 마음 때문이다. 자신의 분수를 넘어서 높이고 내세우려 하는 교만의 마음 때문에 욕심이 온다. 교만의 마음 때문에 욕심이 오고, 욕심 때문에 집착한다.

교만이란, '겸손함이 없이 방자한 것'으로, 자신의 분수를 넘어 남들 앞에 내세우고 높이고 자랑하려는 마음이다. 교만은 상대적이다. 상대적이 아니면 겸손할 일도, 방자할 일도, 남 앞에 높이고 내세울 일도 없다. 또한 상대적이 아니라면 욕심낼 일도 없다.

그러므로 인간들의 모든 욕심은 자신을 남들 앞에 내세우고 높이려

하는 교만의 마음 때문에 오는 것이라 할 수 있다.

그러면 교만의 마음은 왜 오는 것인가. 왜 교만의 마음을 떨쳐 버릴 수 없는 것인가. 어리석음 때문이다.

우리는 내세울 일이 없고 높이고 자랑할 일이 없다. 잘난 체하고 교만할 일도 없다. 무엇을 내세우고 무엇을 자랑하며 무엇을 잘난 체할 것인가. 바보스러움이다. 재물에 대해서도, 명예에 대해서도, 권력에 대해서도, 건강에 대해서도, 집착할 일이 없다.

오늘 하루 일용할 양식으로 만족할 수 있고, 오늘 하루 건강할 수 있으므로 만족할 수 있으며 오늘 하루 사랑할 수 있으므로 만족할 수 있음을 알아야 한다. 오늘 하루 내가 존재할 수 있다는 것이 바로 감동이고, 감사한 일이다.

어리석음 때문에 교만이 오고, 교만의 마음 때문에 욕심이 오며, 욕심 때문에 집착하게 되고, 집착 때문에 번뇌한다. 삶은 끊임없는 번민과 번뇌의 고통이다.

11.

歲不我延
(세불아연)

《대한시니어신문》 칼럼 2025.2.3.

'勿謂今日不學而有來日(물위금일불학이유내일), 日月逝矣歲不我延(일월서의세불아연). 오늘 배우지 않고서 내일이 있다고 말하지 말라, 세월은 흘러가는 것 나를 위해 기다리지 않는다.'

'未覺池塘春草夢(미각지당춘초몽), 階前梧葉已秋聲(계전오엽이추성). 연못가의 봄풀은 꿈에서 깨지 못했는데, 섬돌 앞의 오동나무는 벌써 가을을 재촉하는구나.'

– 朱子의 말씀 (『명심보감』)

삶은 참으로 빠르다. 젊은 시절에는 세월이 몹시도 더디고 느렸는데 그런데, 어느새 계단 앞의 오동잎은 가을을 재촉하고 있다.

이처럼 세월은 빠른데, 우리는 여기서 생각해 볼 일이 있다. 주어진 삶을 잘 살고 있는지, 아니면 그렇지 못한지, 시간을 낭비하는 삶을 살아가고 있지는 않은지 등 생각해 본다.

필자의 경우는 시간만큼은 낭비하며 살지 않았다고 감히 얘기할 수 있을 것 같다. 물론 해 놓은 것은 없지만 한가로이 여행 한 번 갈 여유로움이 없었으니 말이다.(여행은 필요하다) 그런데 시간을 낭비하지 않는 삶도 중요하지만 어떠한 삶을 살고 있느냐가 더욱 중요하다.

살아가면서 해야 할 일은 많이 있다. 그러나 어떠한 일이든 최선의 삶을 살아가야 한다. 돈도 많이 벌어야 하고 높은 지위에도 올라가야 하고 권력도 얻어야 한다. 그렇지만 그중에도 세상에 태어난 의미의 삶이 무엇인지, 가장 가치 있는 삶이 무엇인지, 꼭 해야만 할 일이 무엇인지를 생각해 보지 않을 수 없다. 이유 없이 태어난 삶이 아니라, 이유가 있는 삶이기 때문이다. 그것을 생각해 본다면, 가장 중요한 삶은 이웃과 함께하는 삶이 아닌가 생각된다. 이웃을 생각하고 서로 도와주고 아껴주는 삶이 아닐까 하는 것이다. 그것 이상의 가치 있고 해야만 할, 의미 있는 일은 없는 것 같다. 이웃과 함께하는 삶 이상의 가치 있는 삶은 없다.

돈 버는 일도 중요하고 명예와 권력을 얻는 일도 중요하지만, 그러나 그 모든 일들은 다 나 자신을 위한 일들이다. 중요한 것은 이웃과 함께하는 삶이다.

그러나 그러한 삶이 중요하더라도, 나 자신이 그럴만한 힘이 없으면 아무 의미가 없다. 그러므로 이웃과 함께하는 삶을 살기 위해서는 나 자신이 먼저 성공해야 한다. 생각으로만 또는 입으로만 이웃과 함께할 수는 없다. 그래서 젊은 분들에게 몇 가지 얘기하고 싶은 것이다. 日月逝矣歲不我延(일월서의세불아연)이다. 즉 '세월은 나를 위하여

기다려 주지 않는다. 최선을 다해 노력해야 한다'라는 것이다.

첫째, '자신을 비하하지 말라'고 얘기하고 싶다. 자신을 흙수저라고 생각하고 절망하는 분들이 있는데 아주 잘못된 생각이다. 젊음과 건강과 시간이 금수저다. 쥐여 준 금수저는 가치가 없다. 어린아이에게 보석을 쥐여 준 것과도 같이 오래가지 못한다. 가치는 창조하고 만들어 가는 것이다.

둘째, '한 우물을 파라'고 얘기하고 싶다. 삶은 짧다. 여기저기 우물을 팔 시간이 없다. 한 우물을 파야 성공할 수 있다. 물론 사막에서 한 우물만을 팔 수는 없다. 그러므로 어디를 팔 것인지, 처음부터 목표 선정을 잘해야 한다.

셋째, '신념을 가져라' 하는 얘기다. 다른 말로 하면 '물고 늘어져라'는 얘기다. 신념이란 '기필코 해내고 말겠다는 강한 의지와 의욕'이다. 의지와 의욕이 없으면 안 된다. 반드시 꼭 해 내고야 말겠다는 각오로 한 우물을 파는 사람은 성공할 수 있다. 끝까지 '물고 늘어지는 사람'은 반드시 성공할 수 있다. 젊음과 시간과 건강이 금수저다.

내가 가진 것이 없으면 이웃을 위해서 해 줄 것이 없다. 그러기 위해서도 나 자신이 먼저 성공해야 한다. 해야만 할 일은 이웃과 함께하는 삶이고, 해서는 안 될 일은 시간을 낭비하는 삶이다. 시간은 빨리 지나간다. 아직도 연못가의 봄풀은 꿈에서 깨지 못하고 있는데, 어느새 뜰 앞의 오동잎은 떨어지고 있다. 머뭇거릴 시간이 없다. 一寸의 光陰인들 不可輕(일촌의 광음인들 불가경)이다. 촌음의 시간이라도 가볍게 허비해서는 안 된다.

12.

행복의 기준

《대한시니어신문》 칼럼 2025.1.20.

행복은 충분한 만족과 기쁨의 상태다. 그런데 만족과 기쁨의 기준은 사람마다 각각 다르다. 계량적으로 얼마만큼 이상이 행복의 기준이 되는 것은 아니다.

어느 사람은 10억 원만 있으면 행복할 수 있고 다른 사람은 행복할 수 없다. 가난한 사람에게는 10억 원이 행복이 될 수 있지만 부자에게는 10억 원이 행복이 될 수 없다.

욕심을 가지고는 행복할 수 없다. 욕심을 버려야 행복할 수 있다.

우리는 10억 원만 있으면 행복해질 수 있다고 얘기한다. 그런데 과연 그럴 것인가. 10억 원만 있으면 행복해질 수 있을까. 행복해질 수 없다. 10억 원을 가지게 되면 곧 20억 원을 가진 사람을 부러워하게 되고 불행을 느끼게 된다. 그러면 20억 원을 가지게 되면 행복해질 수 있을까. 아니다. 이번에는 30억 원을 가진 사람을 부러워하게 되고 또다시 불행을 느낀다.

권력도 명예도 마찬가지다. 과장인 사람은 부장을 부러워하고 부장이 되면 행복해질 수 있다고 얘기한다. 그러면 부장이 되면 행복해질 수 있을까. 과연 그럴 것인가. 아니다. 부장이 되면 이제는 국장을 그리워하게 되고 또다시 불행을 느낀다. 이것이 바로 욕심이다. 욕심을 가지고는 행복할 수 없다. 행복을 찾기만 한다.

행복은 실체가 있는 것이 아니다.

돈이 행복의 실체가 될 수 없고, 권력이나 명예 자체가 행복의 실체가 될 수 없다. 행복은 실체를 찾는 것이 아니라 깨닫고 느끼는 것이다. 우리의 일상이 행복이다. 일상에서 깨닫고 느끼는 것이다.

높은 산에 올라 시원한 풍광을 바라볼 수 있는 건강이 있다면 행복이 아니겠는가. 길가에 핀 예쁜 꽃을 바라볼 수 있고, 커피 한 잔 마실 수 있는 여유가 있다면 행복이 아니겠는가. 가난하지만 노부부가 손을 잡고 걸을 수 있는 건강이 있다면 행복이 아니겠는가. 왜냐하면 그것을 하고 싶어도 하지 못하는 사람들이 있기 때문이다.

또한 편리한 것이 행복인 줄 알고 불편한 것이 불행인 줄 안다. 그러나 행복과 편리함은 같은 것이 아니다.

좋은 집에서 살면 편리하다. 또 좋은 차를 가지고 있으면 편리하고, 돈을 많이 가지고 있으면 편리하다. 그렇다면 좋은 것을 많이 가진 사람들은 행복한가. 그런데 꼭 그렇지만은 않다. 돈 많은 사람들이, 큰 집에서 잘사는 사람들 또는 좋은 차를 가지고 있는 사람들이 행복을 느끼지 못하고 갈등하며 살아가는 사람들이 많이 있다.

소소한 일상이 행복이다. 지금 존재해 있다는 것이 행복이다. 걸을 수 있고 볼 수 있고 들을 수 있고 숨 쉴 수 있는 것이 행복이다. 그것을 깨달아야 한다. 그런데 이러한 일상을 잃어버렸을 때 비로소 행복이었음을 깨닫게 된다. 그러나 잃어버린 후에는 되찾기 힘들고 후회한다. 행복은 물질도 명예도 권력도 아니다. 일상이 행복이다. 깨달은 사람은 감사한다.

13.

웰다잉의 의미

《대한시니어신문》 칼럼 2025.1.13.

웰빙이 몸과 마음의 편안함과 행복을 추구하는 것이라면, 웰다잉은 잘 죽기 위한 것으로, 품위 있고 존엄하게 생을 마감하는 일이라 할 수 있다.

요즘 웰다잉의 강의를 듣는 어르신들이 많이 있다. 마지막 순간을 떠올리며 자신이 생각하는 죽음, 자신이 살아온 이야기 등을 엔딩 노트에 작성한다. 그러면서 "주어진 시간만큼 살다 가는 것이 지극히 자연스러운 과정"이라고 얘기한다.

우리나라는 웰다잉의 첫걸음인 사전 연명 치료 중단 의향서 등록자 수가 약 250만에 이른다고 하고, 무의미한 연명 치료를 받는 대신 호스피스 완화 치료를 결정하는 어르신들이 많다고 한다.

웰다잉에 대한 사회적 정의도 다양하다. "맡은 바 일을 열심히 하다 죽으면 그것이 존엄사가 아니겠는가. 또는 군인이 군복을 입고 적과 싸우다 전사하면 존엄사가 아니겠는가" 그러나 "영혼의 문제를 해결하지 못한 웰다잉은 육신만을 생각하는 짧은 견해가 아닌가" 등등이다.

웰다잉은 품위 있고 존엄하게 생을 마감하는 일이다. 그러나 필자는 좀 다른 측면에서 생각해 보는 것이다.

웰다잉은 단순히 본인이나 주변 가족들에게 고통이나 부담을 주지 않고 품위 있게 죽어가기 위해, 무의미한 연명치료 같은 것은 받지 않고 죽는 것을 의미하지만, 다른 의미로 생각해 본다면, 죽는 순간에 어떻게 죽느냐를 결정하는 것이 아니라, 평소 살아오는 과정에서부터 웰다잉은 시작되는 것이고, 어떻게 죽느냐가 아니라, 어떻게 품위 있게 죽을 수 있도록 삶을 살아왔느냐 하는 것이 아니냐는 얘기다. 즉 어떻게 죽느냐 하는 문제는 어떻게 살아 왔느냐에 따라서 결정되는 것이라 생각되는 것이다.

죽는 순간에 고통스러우냐 아니냐, 주변 사람들에게 고통을 주느냐 아니냐? 그래서 그 순간 어떻게 존엄하게 죽을 수 있느냐가 아니라, 살아온 삶 자체가 기준이 된다는 것이다.

존엄하게 살아왔다면 죽는 순간 다소 고통이 있다고 하더라도 그 죽음은 존엄한 죽음이 되겠지만, 존엄하게 살아오지 못했다면 죽는 순간 고통이 없거나 주변 사람들에게 고통을 주지 않는다고 해도 존엄한 죽음이라고 말할 수는 없다.

그러기에 어떻게 죽느냐가 아니라, 어떻게 살아왔느냐에 달려 있다. 사람은 살아온 모습 그대로 죽음을 맞이한다. 잘 살아야 잘 죽을 수 있는 것이다.

즉, 살아오면서 좀 더 이해하며 살려고 노력해 왔는지, 좀 더 용서하며 살려고 노력해 왔는지, 좀 더 나누며 살려고 노력해 왔는지, 좀 더 아끼고 사랑하며 살려고 노력해 왔는지, 양심껏 살려고 노력해 왔는지, 최선의 삶을 살려고 노력해 왔는지, 그래서 지금 후회 없는 죽음을 맞이할 수 있는 것인지 등이 진정한 웰다잉의 기준이 될 수 있는 것이 아닌가 하는 것이다. 그러므로 우리는 육체적 평안의 웰다잉만이 아닌, 양심과 영혼의 평안을 위한 웰다잉이 될 수 있도록 삶을 살아가야 하는 것이다. 그것이 잘 산 삶이고, 품위와 존엄이 있는 죽음이 된다.

그런데 요즘 정치하는 사람들은 이러한 생각은 하며 살아가고 있는지 모르겠다. 지금의 우리나라 사태는 매우 위중하다.

한 사람은 지혜가 없고, 또 한 사람은 양심이 없다. 그들도 이러한 생각들을 할 수 있다면 그래도 좀 더 지혜로워질 수 있고, 좀 더 이타적이 될 수 있으며, 삶의 의미 또한 달라질 수도 있을 텐데, 안타깝기만 하다.

14.

아픔과 고통의 가치 (2)

《대한시니어신문》 칼럼 2025.1.6.

'逸生於勞而常休(일생어로이상휴) 하고 樂生於憂而無厭(락생어우이무염)하나니 逸樂者(일락자)는 憂勞(우로)를 豈可忘乎(기가망호)아.

편안함은 수고로움에서 생겨 늘 기쁘고, 즐거움은 근심하는 것에서 생겨 싫음이 없나니, 편안하고 즐거운 자는 근심과 수고로움을 어찌 잊을 수 있겠는가.'

(『명심보감』)

편안함은 편안한 데서 오는 것이 아니라, 땀 흘리며 수고하는 데서 오고, 즐거움은 즐거운 데서 오는 것이 아니라, 근심하고 걱정하는 데서 온다. 그러므로 수고로움과 근심·걱정을 모르고는 진정한 편안함과 즐거움을 알 수 없다. 편안하기만 하다면 편안한 것이 아니고 즐겁기만 하다면 즐거운 것이 아니며, 편안하기만을 원한다면 게으름에 빠져

나태해지고, 즐거움만 원한다면 쾌락에 빠져 부패해진다. 그러므로 물질과 시간이 있는 곳에는 유혹과 쾌락이 있고, 수고로움과 고뇌가 있는 곳에는 만족과 평안이 있다.

마찬가지로, 기쁨만 있는 것이 기쁨이 아니고 행복만 있는 것이 행복이 아니다. 불행 속에 행복이 있고 절망 속에 희망이 있으며 잘못함이 있는 곳에 용서가 있다.

우리가 살아가면서 시련과 고통을 두려워할 필요가 없다.

아파 보지 않고는 남의 아픔을 모르고, 고통을 모르고는 남의 고통을 모른다. 아파봐야 하고 고통도 받아 봐야 한다. 그때 삶이 성숙한다.

잃어버리지 않고는 잃어버림의 아픔을 모르고, 실패하지 않고는 실패의 아픔을 모른다. 잃어 봐야 하고 실패도 해 봐야 한다. 잃어 봐야 지혜를 얻고 실패해 봐야 깨달을 수 있다. 그때 삶은 성숙된다.

시련을 겪어 보지 않고는 시련의 아픔을 모르고, 좌절해 보지 않고는 좌절의 아픔을 모른다. 시련도 겪어 봐야 하고 좌절 또한 해 봐야 한다. 그때 삶은 성숙한다.

세상에 행복과 평화만 있다면, 가난과 질병이 없다면, 고통과 시련이 없다면, 실패와 잘못이 없다면 삶은 성숙할 수 없다. 사랑하고 사랑받을 일이 없고, 용서하고 용서받을 일이 없으며, 베풀고 베풂 받을 일이 없고, 희망하고 인내하고 노력할 일이 없다. 도와주고, 나누고, 감싸 주고, 보살피고, 이해하고, 포용하고, 함께해 줄 일이 없다. 그래서 삶은 성숙할 수 없다.

그렇지만 성숙해 가야 한다. 인간들의 존재 이유고 삶의 이유다. 가난과 질병과 고통과 모든 아픔들의 가치다.

편안하기만을 원한다면, 또 즐겁기만 원한다면, 수고로움과 고뇌의 가치를 모른다면 희망은 없다. 고통과 아픔의 가치를 알아야 한다.

당장은 힘들고, 어렵지만 어쩔 수 없는 성숙의 과정이다. 과정 없이는 성숙할 수 없고, 성숙 없이는 삶의 의미 또한 깨달을 수 없다.

15.

知足者
(지족자)

《대한시니어신문》 칼럼 2024.12.30.

'知足者(지족자)는 貧賤亦樂(빈천역락)하고 不知足者(부지족자)는 富貴亦憂(부귀역우)니라.

만족할 줄 아는 사람은 가난하고 천해도 즐겁지만, 만족할 줄 모르는 사람은 부(富)하고 귀(貴)해도 근심한다.'

(『명심보감』)

만족할 줄 아는 사람은 겸허한 사람이다. 배고픈 사람의 배고픔을 아는 사람이고, 아픈 사람의 아픔을 아는 사람이다. 가지지 못한 사람들보다 얼마나 많이 가졌는지를 아는 사람이고 그래서 진정으로 감사할 수 있는 사람이다.

그러나 만족할 수 없는 사람은 겸허할 줄 모르는 사람이다. 아픈 사람의 아픔을 모르는 사람이고, 가지고도 가진 것이 없어 항상 부족한 사람이다. 그래서 감사할 수 없는 사람이다.

만족할 수 없는 것은 욕심 때문이다. 욕심 때문에 만족할 수 없다. 욕심은 죄다.

지금 이 순간에도 전 세계에서 5초마다 1명의 어린이가 먹을 것이 없어 굶어 죽어 가고 있고, 10억 명의 사람들이 배고픔과 만성적 영양실조에 시달리고 있으며, 먹을 것을 해결하기 위해 어린이 2억 5천만 명 정도가 노동에 종사하고 있다고 한다. 그러면서 그들은 간절히 원하고 있다. '먹을 수만 있다면 얼마나 좋을까' 하고.

그런데도, 아직도 만족할 수 없겠는가. 아직도 부족한가. 그리고 이 시간에도 '걸을 수만 있다면 얼마나 좋을까' 하고 간절히 원하는 사람들이 있고, '볼 수만 있다면, 또 '들을 수만 있다면 얼마나 좋을까' 하고 간절히 기도하는 사람들도 있다. 그런데 먹을 수 있고 걸을 수 있고 볼 수 있고 들을 수 있다면 그것이 만족이 아니겠는가. 그런데도 만족하지 못하고 욕심을 내고 근심, 걱정하고 있다면 그것이 바로 그렇지 못한 사람들에 대해 죄가 된다. 욕심은 죄를 낳고 죄는 죽음을 낳는다. 겸허해야 한다. 가지고 있지 못한 사람들 앞에서 겸허해져야 한다. 그리고 자신이 얼마나 많이 가졌는지를 깨달아야 한다. 그것을 깨달아야 만족할 수 있고 그리고 감사할 수 있다. 욕심을 버려야 한다. 그런데 의지적으로 욕심을 버리기는 쉽지 않다. 가진 것을 잃어봐야 하고, 배고프고 아파 봐야 한다. 그때 욕심이 교만이었음을 깨닫게 되고 겸허해질 수 있고 만족할 수 있다. 아픔을 모르는 한 겸허할 수 없고, 겸허할 수 없는 한 만족할 수 없으며, 만족할 수 없는 한, 욕심을 버릴 수 없고 근심 걱정하게 된다.

'知足者는 貧賤亦樂하고 不知足者는 富貴亦憂한다. 만족할 줄 아는 사람은 가난하고 천해도 즐겁지만, 만족할 줄 모르는 사람은 부하고 귀해도 근심한다.'

겸허해야 한다. 얼마나 많이 가지고 있는지를 깨달아야 한다. 그리고 감사해야 한다. 가난하고 힘들어도 그래도 만족하고 감사할 수 있어야 한다. 바로 지족자다.

16.

합당한 말은 은쟁반의 금사과와 같다

《대한시니어신문》 칼럼 2024.12.23.

'利人之言은 煖如綿絮하고, 傷人之語는 利如荊棘이다. 사람을 이롭게 하는 말은 그 따뜻함이 솜털과 같고, 사람을 해롭게 하는 말은 그 날카롭기가 가시나무와 같다'. 또 '부드러운 말은 분노를 가라앉히고 불쾌한 말은 화를 돋운다'.

(『명심보감』)

우리는 주변 사람들과의 관계를 맺으며 살아간다. 혼자서는 살아갈 수 없다. 그런데 그 관계를 맺는 것이 말이다. 대화 없이는 관계를 맺을 수 없다. 그러므로 인간관계에서 대화는 중요하고 서로 이로운 대화를 나눌 수 있어야 한다. 이롭지 못한 대화는 하지 않음만 못하고 천 마디의 말이라도 쓰일 데가 없으며, 해로운 말은 재화(災禍)와 근심을 불러들이고 몸을 망치게 한다. '입은 사람을 다치게 하고 말은 혀를 베는 칼과 같아, 입과 혀를 조심해야 몸이 편안하고 견고해진다'라는 말이 있다. 이로운 말은 은쟁반의 금사과와 같지만 해로운 말은 상처만 남긴다.

말은 따뜻하고 부드러워야 한다. 따뜻한 말을 싫어하는 사람은 없다. 솜털과 같이 부드러운 말은 상대의 마음을 움직일 수 있지만, 날카롭고 불쾌한 말은 하지 않음만 못하다. 그러나 중요한 것은 입술로만의 부드러움이 아니라, 마음으로부터의 부드러움이다. 아무리 입술이 부드럽다고 하여도 마음이 부드럽고 따뜻하지 않으면 마음을 움직일 수 없다. 부드러운 말을 한다고 하여도 마음속에 가시가 있다면 상대는 그 가시를 느낄 수 있다. 입술로만의 부드러운 말은 속이는 것이다. 상대에 대한 따뜻한 마음이 있어야 부드러운 마음을 가질 수 있고, 부드러운 말을 전할 수 있으며 그리고 마음이 전달되고 상대를 움직일 수 있다. 그렇지 않고는 울리는 꽹과리 소리에 지나지 않는다.

또한 대화에 있어서 중요한 것은 칭찬의 말을 해 주어야 한다.

칭찬의 말을 싫어하는 사람 또한 없다. '칭찬하면 고래도 춤을 춘다'고 한다. 또 로젠탈효과가 있다. 하버드대학 심리학 교수가 초등학교에서 무작위로 학생을 뽑아 IQ가 높은 우수한 학생들이라 소개하고 8개월 후에 결과를 보니 무작위의 학생들이 다른 학생들보다 평균 점수가 훨씬 높았다는 결과가 나왔다. 긍정적 격려가 효과를 낸 것이다. 상대에 대한 칭찬의 말은 엄청난 긍정의 효과를 가져온다. 물론 칭찬의 말 자체가 주술적 효과를 가져오는 것은 아니지만, 칭찬의 말을 받은 사람은 자신감과 의욕이 생기고 또 그렇게 되기 위하여 노력하게 되는 것이다. 칭찬의 말을 해 주어야 한다. 그러나 역시 중요한 것은 입술로만이 아닌 진정한 사랑의 마음으로 격려하고 칭찬해 주어야 한다. 그때 기적이 일어날 수 있다. 사랑이 없는 칭찬의 말은 지나가는 소리에 지나지 않는다.

대화의 방법은 중요하다. 더욱 중요한 것은 마음이다. 소리의 전달이 아닌 마음의 전달이 이뤄져야 한다. 부드러운 말과 따뜻한 마음을 전달해야 한다.

17.

해가 질 때까지 화(火)를 품지 마라

《대한시니어신문》 칼럼 2024.12.16.

오늘 《조선일보》 1면에도 '우리 사회에 火가 너무 많다'라는 제목이 달려 있다.

"必以暴怒爲戒(필이폭노위계)"라는 말이 있다. 반드시 난폭하게 성내는 것을 경계하고, 若先暴怒(약선폭노)면 只能自害(지능자해)라, 만약 '먼저 난폭하게 성을 내면 단지 자신을 해롭게 한다'는 뜻으로, 모든 일에 신중하고 화를 내지 말고, 화낼 일이 있더라도 해 질 때까지 품지 말고 바로 풀어야 하며, 화를 참지 못해 폭발하게 되면 도리어 자기에게 해가 된다는 얘기다. 감정을 통제하지 못하고 화가 폭발하면 이성이 흐려지게 되고 지혜를 잃게 되어 옳고 그름의 판단력을 잃게 된다. 그러므로 인간관계가 깨지게 되고 공든 탑이 무너질 수도 있다. 중요한 것은 화는 순간적으로 버럭 감정을 폭발하는 것만이 아니라 평소 상대에 대한 부정적 감정이 쌓여 화가 된다.

인간은 혼자서는 살아갈 수 없다. 공동체를 이루며 함께 살아간다. 그러면서 많은 사람들을 만나게 되고 의견을 나누며 살아간다. 그런데 모든 사람이 다 나와 같은 생각일 수 없고 같은 행위일 수 없다. 그러다 보니 갈등할 때가 있고 의견충돌이 일어날 수 있으며, 그러한 과정에서 감정을 드러내 화를 낼 수 있게 된다. 그러나 화를 내서는 안 된다. 인간은 감정을 가지고 있지만 이성도 함께 가지고 있다. 감정을 그대로 나타내는 것은 동물적 본능이다. 인간이 다른 동물들과 다른 것은 이성으로 감정을 다스릴 수 있기 때문이다. 그것이 인격 수양이다. 그러므로 분노의 감정을 있는 그대로 표출하는 사람은 수양이 안 된 사람이라 할 수 있다.

그런데 자신의 감정을 다스리지 못하고 화를 나타내 실패하는 사람들이 많이 있다. 작금에 일어난 일도 그렇다. 나라의 책임자는 화를 내고 이성을 잃어서는 안 된다. 분노를 품고 있으면 이성이 흐려지고 지혜와 판단력을 잃게 되며, 그 피해는 자신에게 돌아간다. 가는 길에 장애가 있으면 다른 길로 가면 된다. 분명 다른 길이 있다. 굳이 한 길만을 고집할 필요가 없다. 그렇다고 한 길을 고집하는 것이 잘못됐다는 얘기는 아니다. 다만 중요한 것은 목표에 도달하는 것이 목적인데, 지혜가 없으면 목표에 도달할 수 없다는 얘기다. 상대가 힘으로 나온다고 해서 꼭 힘으로만 대할 필요는 없다. 목적지만 가면 된다. 그것이 지혜다.

조금 더 지혜롭게 신중히 생각하고 판단할 수 있었다면, 이러한 일은 일어나지 않았을 것이다. 쌓여온 부정적 감정이 분노가 되고 그 분노가 생각과 판단을 흐리게 함으로 결국 지혜롭지 못한 결과를 낳게 되고 자신과 나라를 해하는 행위가 된 것이다. 후회한들 소용이 없다. 이제 뒤돌아 생각해 보니 얼마나 후회스럽고 분통한 일인가. 땅을 친들 돌이킬 수 없는 일이 되고 말았다. 감정을 다스리지 못하고 분노를 폭발한다는 것은 결국 자신에게 해가 된다. 특히 나라의 통치자가 화를 폭발했을 때는 자신만이 아니라 나라 전체가 위험에 빠질 수 있다.

부정적인 생각과 화는 생각과 판단을 흐리게 한다. 화를 폭발해서는 안 된다. 지혜로워야 한다. 해가 질 때까지 화를 품어서는 안 된다. 자신의 마음을 다스리는 사람은 천하를 다스릴 수 있다.

18.

155분간의 계엄

《대한시니어신문》 칼럼 2024.12.9.

윤석열 대통령이 3일 밤 '비상계엄'을 선포하고 국회가 '무효'를 선언할 때까지 걸린 시간은 155분이었다.

고 이건희 회장이 한 말, 4류의 정치가 생각난다. 나라가 온통 쑥대밭이 되고 삼류국가로 전락하고 있다. 있어선 안 될 일이 벌어졌다.

나라의 지도자는 지혜가 있어야 한다. 국정을 감정으로 다뤄서는 안 된다. 인간이 다른 동물들과 다른 것은 이성이 있기 때문이다. 그래서 교육을 통해 본능적 감정을 이성적으로 성숙시키는 것이다. 그것이 지혜다.

물론 강력한 의지력도 필요하다. 조직을 끌고 가기 위해서는 의지력 없이는 안 된다. 그렇지만 지혜가 없는 의지력은 고집에 불과하고, 자기의 의지력에 스스로 도취하여 판단력이 흐려진다. 지혜가 있었다면 일련의 일들을 이렇게까지 나라가 온통 시끄럽게 만들 이유가 없다. 조

용히 얼마든지 처리할 수 있는 문제들을 고집으로 키워서 여기까지 끌고 왔고 그 무덤에 스스로 갇히게 됐다. 자업자득(自業自得)이다. 참 지혜가 없다. 다른 표현으로는 약지 못하고 답답하다. 그래서 올 것이 오고야 만 것이다. 민주주의 국가에서, 더욱이 국력 세계 10위권 국가에서 일어나서는 안 될 일이 45년 만에 또다시 벌어지게 된 것이다. 온 세계가 웃고 있다. 앞으로 이 일을 어떻게 수습하고 감당할 것인지. 캄캄하다. 지혜가 있어야 한다. 지혜는 겸손과 이해와 대화와 설득과 포용이다. 그 외의 방법은 없다.

여 · 야 정치인들도 마찬가지다. 여당은 하나로 똘똘 뭉쳐도 감당하기 힘들 판인데, 하나의 당에서 친윤파니 친한파니 하며 서로 갈라서서 갈등한다. 문제의식이나 있는 사람들인지, 또는 책임 의식이나 있는 사람들인지 모르겠다.

야당 또한 국민의 대표기관이라고 보기보다는 이기적 집단이라고밖에 볼 수 없다. 국민이야 어떻게 되든, 나라 꼴이 어떻게 되든 상관없다. 오직 자신들만의 조직과 한 사람만을 위해서 충성한다. 앵무새처럼 떠드는 소리는 한 가지뿐이다. 특검과 탄핵이란 말뿐이다. 그 외에 한 말이 뭐가 있는가. 22대 국회에 들어와서 이제까지 한 일이 뭐가 있는가. 그러고도 국민들을 위해서 일한다고 얘기할 수 있는가. 그러면서도 세비는 꼬박꼬박 받아 가고 있다. 양심과 이성이 있다면 스스로 생각하고 판단해 볼 일이다. 작금에 벌어지고 있는 일들도 자신들의 책임과는 무관하다고 생각하는가. 아니면 이제 책임을 떠넘길 기회가 왔다고 생각하는가. 자신들의 잘못은 면죄부를 받았다고 생각하는가. 아니다. 국민들은 잊지 않는다. 똑같이 심판할 것이다.

악은 악을 낳게 마련이다. 모두의 책임이다.

지도자건, 여건, 야건 간에 지혜가 없으면 망한다. 분명 그렇다. 역사가 말하고 있고 또한 국민이 보고, 하늘이 보고 있다. 지혜는 나와 내 조직만을 생각하는 것이 아니라 우리를 생각하는 것이다. 배가 난파하면 나는 살고 너만 죽는 것이 아니다. 너도 나도 모두 다 죽는다. 지금은 나라의 위기다. 지혜가 필요한 때다.

19.

절망을 극복하는 4과정

《대한시니어신문》 칼럼 2024.12.2.

우리는 살아가면서 많은 시련과 고통을 겪게 된다. 좌절과 절망이 닥쳐왔을 때 극복하는 4가지 과정을 얘기하고자 한다.

1. 절대로 포기하지 마라

살다가 보면 갑자기 뜻하지 않은 일을 맞을 수 있다. 잘 되든 일이 부도가 날 수도 있고, 자기 잘못도 아니면서 갑자기 재물을 잃어버리고 하루아침에 길바닥에 내앉는 노숙자 신세가 될 수도 있다. 높은 건물에서 바닥으로 추락해 떨어진 상태가 될 수 있고 다시는 일어설 수 없는 절망 자체가 될 수도 있다. 재기 불능의 상태일 수 있고, 삶을 포기하고 싶은 심정일 수 있다.

그러나 중요한 것은 어떠한 경우라도 좌절하거나 포기해서는 안 된다는 것이다. 절대 포기해서는 안 된다. 왜냐하면 그것이 삶이고 그것을 견뎌 내는 것이 삶의 의미이며, 삶은 바로 이러한 시련과 고통을 참아 내는 과정이기 때문이다. 그 이유는 삶의 성숙을 위해서다. 성숙하지 않은 삶은 의미가 없다. 절대 좌절하거나 포기해서는 안 될 이유다.

2. 순명(順命)을 깨달아 간다

모든 원인은 나비의 작은 날갯짓 하나에서부터 시작되듯이, 시간이 흐름에 따라서 벼랑 끝으로 추락할 수밖에 없었던 자신의 잘못을 조금씩 깨달아가게 된다. 모든 원인은 남의 잘못이 아닌 자신의 잘못으로부터 시작되었음을 깨달아 간다. 그러면서 억울했던 마음도 절망적이었던 마음도 조금씩 순명(順命)의 마음으로 바뀌어 간다.

3. 가치의 변화가 온다

의지가 아닌 어쩔 수 없이 견뎌 낼 수밖에 없는 상황이지만 그때, 이 모든 것이 운명이라는 것을 깨달아 간다. 그러면서 조금씩 마음에 안정이 오고, 잃어버린 그것들이 전부가 아니었음을 깨달아 가며 가치의 변화가 온다.

시련과 고통을 참아 낸 것만큼 성숙이 오고, 그 성숙의 가치를 깨달아 간다. 성숙은 존재의 의미를 깨달아 가고, 아팠던 만큼 다른 사람의 아픔을 볼 수 있게 되며, 함께하는 이웃을 생각하는 가치를 깨달아 가는 것이다.

또한 이 모든 것이 성숙을 위한 과정임을 깨달아 간다.

4. 진정한 가치를 찾는다

모든 것을 잃어버리고 절망했을 때 포기하지 않고 어쩔 수 없이 견뎌 온 시간이지만, 참 잘한 선택임을 느끼게 되고, 잃어버린 그것이 진정한 가치가 아님을 깨닫게 되며 새로운 가치를 찾게 된다. 새로운 가치는 세상 쪽인 것에서 세상 쪽이 아닌 것으로의 생각과 가치가 바뀌게 되고, 내 것만이 중요한 것이 아닌, 남의 것도 중요하며 인간은 사랑하기 위해 존재하는 것임을 깨닫게 되는 것이다. 그리고 감사함을 깨닫는 것이다. 그 이상의 가치는 없다.

새로운 가치의 깨달음은 포기하지 않고 참고 견뎌 냈을 때만 얻을 수 있다. 절망해선 안 되고 포기해선 안 된다. 새로운 가치를 얻기 위한 과정이다.

그러므로 살아가면서 겪게 되는 모든 시련과 아픔들을 삶의 과정임을 깨닫고 순명하는 마음으로 극복해야 한다.

아픔과 고통이 크면 클수록 깨달음도 더 크고 감사함도 크다.

20.

성공의 인간관계 5가지 요소

《대한시니어신문》 칼럼 2024.11.25.

살아가면서 주변 사람들과의 인간관계가 중요하다. 그 이유로는 사람들로부터 인정을 받고 좋은 사람으로 평가받기 위해서다. 성공은 혼자 해낼 수 있는 것이 아니다. 서로 돕고 도와줘야 한다. 인간관계에 필요한 몇 가지를 얘기하고자 한다.

첫째, 원만한 마인드를 가져라.

원만한 마인드란, '모난 데가 없이 부드럽고 너그러운 마음'이다. 조약돌처럼 동글동글한 돌이다. 인간관계에서 중요한 것은 부드럽고 너그러운 마음이다. 사람들은 편하고 접근하기 쉬운 사람을 좋아하지, 까다로워 접근하기 어려운 사람을 좋아하지 않는다. 인간관계가 원만해야 많은 정보를 얻을 수 있고 성공할 수 있다. 성공은 서로 끌어 주고 밀어 주는 데서 성공 할 수 있지, 접근하기 어려워 도와줄 사람이 없는 사람은 성공할 수 없다. 원만한 마인드로 많은 사람들로부터 좋은 사람,

가까이하고 싶은 사람으로 평가받을 수 있어야 한다.

둘째, 긍정적 사고를 해라.

색안경을 쓰고 세상을 바라보면 모든 세상이 같은 색깔로 보이고 본래의 색깔을 볼 수 없다. 부정의 마음으로 보면 부정이 보이고, 긍정의 마음으로 보면 긍정이 보인다. 그러므로 인간관계에서 사실을 보지 못하고 잘못 판단하여 실수를 범하는 경우가 많다.

긍정의 마음을 가지고 있는 사람의 얼굴은 밝다. 부정의 마음은 절망을 낳고 긍정의 마음은 희망을 낳기 때문이다. 사람들은 희망적이고 밝은 사람을 좋아한다. 역시 긍정적 마인드가 있는 곳에 사람과 정보가 모이고 성공이 있다. 긍정적 사고를 해야 한다.

셋째, 상대방 입장에서 생각하라.

인간은 많은 갈등 속에 살아간다. 그래서 갈등 때문에 힘들어하고, 괴로워하고 관계가 깨진다.

갈등은 서로 간의 목표나 이해관계의 충돌이 갈등이 된다. 목표나 이해관계가 같다면 갈등할 이유가 없다.

그런데 나의 기준이 아닌 상대의 가치 기준에서 생각할 수 있고, 상대의 가치 기준에서 판단할 수 있다면 상대를 이해할 수 있게 되고 그래서 갈등 또한 있을 수 없다. 나만의 가치 기준은 어디까지나 내 중심적인 이기적 기준이고 판단이지, 상대의 기준은 될 수 없다는 얘기다. 갈등은 사람을 멀리하게 하고 성공의 걸림돌이 된다. 갈등해서는 안 된다. 이기적 입장이 아닌, 상대의 입장에서 생각할 수 있어야 한다.

넷째, 이해와 포용하는 마음을 가져라.

이해와 포용은 남을 너그러이 받아들이는 마음이다. 이해는 남의 사정을 잘 헤아려 받아들이는 것이고, 포용은 있는 그대로 받아들이는 것이다. 다시 말하면 이해는 깨달아 아는 것이다. 즉 다른 사람의 생각과 감정을 깨달아 받아들이는 것이고, 포용은 다른 사람의 다양성과 특성을 있는 그대로 받아들이는 것이다. 그러나 모두가 너그러이 인정하고 받아들이는 데 목적이 있다.

즉 하나가 되는 데 목적이 있다. 인간관계에서 중요한 것은 하나가 되는 것이다. 성공의 지름길이다. 이해와 포용으로 하나가 돼야 한다.

다섯째, 예의를 갖춰라.

인간관계에서 또한 빼놓을 수 없는 것이 예의다. 예의 하면 혹 진부하게 느껴질 수도 있다. 그렇다면 매너(manner)라고 하면 된다. 매너 없이는 인간관계를 가질 수 없고 그리고 성공할 수 없다. 예의(禮誼)는 사람으로서 마땅히 지켜야 할 도리다. 예의가 없다면 무례한 사람이다. 예의를 지키지 못하여 낭패하는 사람이 많다. 특히 조직 사회에서 윗사람이나 연장자에게 예의를 갖추지 못해 무례한 사람으로 낙인찍혀 쌓아 놓은 공적이 물거품이 되는 경우가 있다.

인간관계에서 매너가 중요하다. 매너를 갖춰야 한다.

이와 같이 인간관계는 쉽지 않다. 그러나 어렵지도 않다. 이기적인 마음이 아니라 이해하고 사랑할 수 있는 마음이 있으면 된다. 그러면 갈등도 있을 수 없고 모든 사람이 좋아하는 원만한 사람이 된다. 그리고 성공할 수 있다.

21.

젊음의 가능성 (2)

《대한시니어신문》 칼럼 2024.11.18.

지난 11월 14일 2025학년도 대학수학능력시험이 있었다. 이제 인생에 대한 목표가 설정되면서 경쟁이 시작되는 순간이다.

필자가 있는 빌딩에는 젊은이들이 많이 있다. 그런데 그들 중에는 아직도 정해진 목표 없이 힘들어하는 20, 30대의 젊은이들(비정규직, 알바 등)이 있다. 안타까운 생각이 들었다. 그러나 필자가 생각할 때는 지금부터 시작해도 못 할 일 없이 무엇이던지 성공할 수 있다고 확신한다. 젊음이 있기 때문이다. 그래서 그들에게 용기와 힘을 주고자 얘기하는 것이다.

첫째, 확실한 목표를 세워라.

처음부터 인생에 대한 목표를 확실하게 세워야 한다. 삶의 시간은 짧다. 이것저것 할 수 없다. 목표를 중도에서 변경하는 것은 달리기하면서 코스를 변경하는 것과 같다. 그런 사람은 성공할 수 없다. 그러므로 처음부터 분명하고 확실한 하나의 목표를 세워야 한다.

목표 없는 성공은 있을 수 없고, 목표 없는 삶은 목표 없이 달리기하는 것과 같다. 또한 확실한 목표 없이는 의지, 의욕이 있을 수 없다.

목표는 자신이 가장 잘할 수 있고 즐거운 마음으로 할 수 있는 일을 높은 목표로 세워라. 다른 사람이 성공한 목표는 나도 성공할 수 있다는 자신감을 가져야 한다. 시작부터 분명하고 확실한 목표를 선택해야 한다.

둘째, 한 우물을 파라.

성공에 있어서 매우 중요하다.

하나의 목표만을 향해서 추진해야 한다. 특별히 머리가 좋거나 뛰어난 재능이라도 있다면 모르지만, 보통의 사람들은 한 우물을 파야 성공할 수 있다. 물론 바보처럼 물 없는 사막에서 한 우물만을 팔 수는 없다. 그러나 신념과 의지력 없이 여기저기 파다가는 성공할 수 없다는 얘기다. 힘들고 어렵더라도, 좌절과 절망이 오더라도 참고 인내해야 한다. 쉽고 편한 길이라면 누구든지 성공할 수 있다. 세상의 값진 열매는 시련과 고통의 과정 뒤에 온다. 마치 운동선수가 힘든 과정을 거쳐 금메달을 획득하듯이 말이다. 필자가 살아오면서 경험한 바로는 머리 좋고 똑똑한 사람들이 이것저것 하다가 성공하지 못하는 사례들을 많이 봤다. 한눈팔지 않고 오직 한 우물만을 끝까지 판 사람만이 성공할 수 있다.

셋째, 최선이 아니라, 최고가 되려고 하라.

우리는 보통 최선을 다하면 성공할 수 있다고 얘기한다. 그러나 최선이 아닌 최고가 돼야 한다. 최선은 목표가 아니라 과정일 뿐이다. 최선은 목표가 될 수 없다. 또한 최선은 사람마다 능력의 한계가 다를 수 있다. 그러므로 목표는 최고가 돼야 한다. 호랑이라도 잡으려는 신념이 있어야 토끼라도 잡을 수 있고, 1위를 하려는 의지가 있어야 2위라도 할 수 있다. 최선이 아닌 최고의 목표에 도달할 수 있도록 최선을 다해야 한다.

넷째, 인간관계를 잘하라.

성공은 혼자보다는 도와주는 사람이 있어야 한다. 그런데 인간은 자신을 좋아하는 사람을 좋아한다. 조직에서 상사는 똑똑한 부하보다는 자신의 말에 따르고 순종하는 부하를 좋아한다. 물론 일 잘하고 똑똑한 부하가 중요하지만 그럼에도 불구하고 순종하고 따르는 사람을 좋아하게 되고 그런 사람을 끌어 주고 밀어 주게 되며 자신의 가까이에 두기를 원한다. 그래서 그런 사람은 다른 사람들보다 빨리 성공할 수 있다. 인간관계를 잘 가져야 한다.

다섯째, 신념을 가져라.

신념은 '하나의 목표를 세워 놓고 기필코 달성하고 말겠다는 굳센 의지와 의욕'을 말한다. 성공에 있어서 가장 중요한 것은 신념이다. 아무리 목표가 확실하고 한 우물을 파고 또 인간관계를 잘한다고 할지라도 기필코 성공하고 말겠다는 본인의 신념과 의지, 의욕 없이는 아무것도 이루어 낼 수 없고 성공할 수 없다. 목표를 향해 기필코 해 내겠다는 신념을 가지고 끝까지 노력할 때 성공할 수 있다. 굳센 신념과 의지, 의욕을 가져야 한다.

절망하고 포기하지 마라. 젊음은 무엇이든지 할 수 있다. 최선을 다하지 않고 시간을 낭비하는 것은 죄다. 끝까지 최선을 다해야 한다.

22.

부끄러운 일이다 (1)

《대한시니어신문》 칼럼 2024.11.11.

신(神)은 인간을 공동체로 만들었다. 이유는 혼자서는 나눌 수도 없고, 베풀 수도 없으며, 용서하고 사랑할 수도 없기 때문이다

우리는 나만을 위해 존재하는 것이 아니라 서로를 위해 존재한다. 그런데 모든 번뇌와 갈등은 내 중심적 생각에서 온다. 그래서 괴로워하고 힘들어하고 고통스러워한다. 내 중심적 생각이 아니라면 힘들어할 이유가 없고 갈등하고 괴로워해야 할 이유가 없다.

우리는 서로를 위해 존재한다.

그런데, 아직도 이웃을 생각할 수 없고 서로 도와줄 수 없다고 한다면 부끄러운 일이고, 아직도 이웃을 미워하고 싫어하고 있다면 부끄러운 일이며, 아직도 용서할 수 없고, 사랑할 수 없다고 한다면 부끄러운 일이다. 부끄러운 일은 후회할 일이다.

행복은 가지고 있는 것을 깨닫는 것이다.

그런데 걸을 수만 있어도 행복인 것을 아직도 모르고 있다면 부끄러운 일이고, 볼 수만 있어도 행복인 것을 모르고 있다면 부끄러운 일이며, 말할 수만 있어도 행복인 것을 모르고 있다면 부끄러운 일이다. 그리고 그것이 걸을 수 없고 볼 수 없고 말할 수 없는 사람들에게는 죄가 된다는 것도 모르고 있다면 역시 부끄러운 일이다.

그런데 우리는 아직도 자랑하고 있다. 물질을 가지고 자랑하고 있고, 권력을 가지고 자랑하고 있으며 명예를 가지고 자랑하고 있다. 부끄러운 일이다.

우리는 사랑하기 위해 존재한다. 사랑은 하나 되고 일치되는 것이다. 그런데 아픈 사람의 아픔을 모르고, 고통받는 사람의 고통을 이해하지 못하고는 하나 되고 일치될 수 없다.

그런데도 살아오면서 아직도 아픔과 고통을 모르고, 그러한 체험이 없다면 부끄러운 일이고, 아직도 배고픈 사람의 배고픔을 모르고, 소외되고 헐벗고 버림받은 이들의 아픔을 모르고 있다면 부끄러운 일이다.

우리 모두는 잠시 후면 다 떠나간다. 세상의 가치도 떠나가고 미움도 아픔도 다 떠나간다. 자랑할 것도 아쉬워할 것도 부러워할 것도 아무것도 없다.

그런데 아직도 자신의 존재를 깨닫지 못하고 있고, 떠난다는 것을 생각하지 못하고 있다면 부끄러운 일이고, 그래서 모든 이들이 아끼고 사랑하고 아쉬워해야만 할 대상들임을 깨닫지 못하고 있다면 부끄러운 일이며, 더욱이 아끼고 사랑하지 못한 것을 후회하게 된다는 것을 깨닫지 못하고 있다면 또한 부끄러운 일이다.

우리는 나만을 위해 사는 것이 아닌 서로를 위해 산다. 결국 나만을 생각하고 나만을 위해 살아온 삶은 부끄러운 삶이고, 사랑하지 못하고 살아온 삶은 실패한 삶이다.

23.
우려스럽다

《대한시니어신문》 칼럼 2024.11.4.

윤석열 대통령은 의지력은 있어 보인다. 그동안 추진하고자 하는 일들을 보면 그렇다. 노동 개혁이나 교육 개혁, 의료 개혁, 연금 개혁 등에서 의지를 보이고 있다. 물론 개혁이라는 일은 쉬운 일은 아니다. 어려운 일이다. 모험이기도 하고 이해관계가 따르며 또 기득권과의 싸움이기에 리더의 희생과 각오 없이는 안 되는 일이다.

그런데 개혁은 의지력만 가지고는 될 수 없다. 자신감이 있어야 한다. 자신감은 '자신이 있다는 느낌'이다. 그런데 자신감은 이타적일 때 생긴다. 이기적일 때는 자신감이 생길 수 없다. 오직 국민을 위해 희생할 수 있을 때 또는 그러한 각오가 돼 있을 때 자신감이 생긴다. 그리고 이기적이냐 이타적이냐 하는 기준 판단도 주관적 판단이 아닌 객관적 판단이어야 한다. 그때 공감을 얻게 되고 자신감이 생긴다. 그리고 그렇게 해서 생긴 자신감은 어떠한 두려움도 뛰어넘을 수 있는 자신감이 된다.

그런데 4일 열린 2025년도 예산안 국회 시정연설에 총리가 대신 참여하고 대통령은 참석하지 않았다. 이유는 국회가 시끄럽고 안정이 안 돼 있기 때문이란다. 솔직히 야당으로부터의 모욕적 행태가 싫어서 그럴 것이다. 그런데 시정연설은 내년도 예산에 대해 국민에게 설명하는 자리다. 선례가 있다고 하더라도 그러한 이유로 다른 사람에게 대신하게 한다는 모습은 대통령답지 않다. 자칫 숨거나 피하는 모습으로 비칠 수 있다. 얼마 전 윤 대통령은 "돌을 던져도 맞고 가겠다"고 했다. 어떤 돌을 어떻게 맞겠다는 건지 모르겠다.

대통령은 어떤 경우라도 자신감이 있어야 하고 당당해야 하며, 피하거나 두려워해서는 안 된다. 그것이 책임자의 모습이다.

또 예전 어느 대통령은 광우병 촛불 시위로 난리 칠 때, 캄캄한 청와대 뒷산에 올라가 반성했다고 한다. 필자는 당시 그 기사를 접하고 크게 실망한 적이 있다. 캄캄한 밤에 뒷산에 올라가 무엇을 했는지는 모르겠지만 자신감이 있는 대통령이라면 뒷산에 올라갈 것이 아니라 광화문 광장으로 나왔어야 했다. 돌에 좀 맞으면 어떤가. 국민을 위한 일이라면 무엇이 두려운가. 정당한 국정 운영이라면 국민을 이해시키고 설득해야 했다. 이해와 설득은 다른 편을 위해 존재한다. 이해시키고 설득하는 것이 지도자의 책임이다. 그런데 광화문 광장을 내려다보며 반성했다고 하니, 반성할 일이 있었다면 국정을 잘못 운영한 것이 된다. 피하고 숨는 리더는 자격이 없는 리더다.

물론 어려움이 있을 수 있다. 그러나 그 어려움을 돌파하고 나가는 것이 책임자다.

보도로는 윤 대통령에 대한 지지율이 19%로 역대 최저치를 기록하고 있다.

한국갤럽 여론조사에서 지역별. 성별. 연령별. 지지 정당별. 직업별 등 다양한 집단별로 구분 조사한 결과, 윤 대통령에 대한 긍정 평가가 부정 평가보다 높은 집단은 하나도 없었다고 한다. 모든 집단에서 다 반대하는 사람이 더 많았다는 얘기다.

이러한 가운데 4일 열린 내년도 예산안 국회 시정연설에도 참석하지 않았다. 현재 지지율이 19%대다. 정말 우려스럽지 않을 수 없다.

24.

지혜의 삶

《대한시니어신문》 칼럼 2024.10.28.

떠나는 것은 놓을 수 있는 것이다. 미움도 분노도 용서하지 못함도 다 놓을 수 있는 것이다. 떠나는 것은 버릴 수 있는 것이다. 아픔도 고통도 시련도 다 버릴 수 있는 것이다. 또한 떠나는 것은 비울 수 있는 것이다. 욕심도 집착도 번뇌도 다 비울 수 있는 것이다. 이유는 떠나기 때문이다. 떠나기 때문에 놓을 수 있고 버릴 수 있고 비울 수 있다.

떠나는 것은 아쉬움이다. 미움도 아픔도 고통도 분노도 다 놓고 떠나니 아쉬움일 수밖에 없다. 미움도 아쉬움일 수밖에 없고, 아픔도, 고통도, 분노도 아쉬움일 수밖에 없다. 그래서 떠남은 아쉬움이다.

우리는 생활 속에서 떠남에 대해 많은 체험을 하며 살아간다. 정든 곳으로부터의 떠남과 정든 사람들로부터의 떠남, 그리고 정든 직장으로부터의 떠남 등 시간과 공간 속에서 많은 떠남들을 체험하며 살아간다. 그럴 때마다 느끼는 것이, 이제까지의 어렵고 힘들었던 일들도, 주변과의 갈등도, 힘들었던 사람들과의 관계도 다 아쉬움임을 깨닫게 된다. 떠나는 순간부터 다시는 만날 수 없는 것들이기에 아쉬움일 수밖에 없는 것이다.

삶도 마찬가지다. 우리 모두는 잠시 후면 다 떠나간다. 아주 잠시 후면 다 떠나간다. 남아 있을 사람은 아무도 없다. 그래서 그동안 살아오면서 있었던 모든 일들, 힘들었던 일 고통스러웠든 일 즐거웠든 모든 일들로부터도 다 떠나게 된다. 남아 있을 것은 아무것도 없다. 그래서 떠남은 아쉬움이다. 그런데 우리는 힘들어하고 고통스러워하고 미워하고 갈등하며 살아간다. 때로는 삶을 포기하기까지도 한다. 잠시 후면 모두가 다 떠나가는데, 고통도 아픔도 미련도 다 아쉬움이 되는데, 그런데 우리는 오늘도 다투며 갈등하고 있다.

요즘 정치를 보면 가관이다. 여야 간의 갈등은 그렇다치더라도, 여여 간의 갈등이 심하다. 친윤파, 친한파라고 하며 특별 감찰관을 두느냐 안 두느냐로 다툰다. 그런데 왜 다투는지 모르겠다. 싫든 좋든 감찰관 문제는 공약사항 아닌가. 공약은 국민과의 약속이다. 공약이 아니더라도 자신과 주변에 대해서는 더욱 엄격히 감시하고 감독해야 함이 국민 앞에 당연한 것 아닌가. 그만한 자신감이 있어야 하는 거 아닌가.

다투는 모습을 보는 국민들은 어이가 없다.

그러한 가운데 같은 날 다른 기사에는 어느 유명 배우 부부에 대한 얘기가 소개됐다. 차인표와 신애라 부부에 대한 얘기다. 두 사람은 톱스타이면서도 오래전부터 낮은 자세로 봉사생활을 해 왔다. 그들에게서는 유명인들의 흔한 스캔들도 들어 보지 못했다. 친아들이 있으면서 두 딸을 입양해 키워 첫딸은 지금 미국 명문대학에 재학 중이라고 한다.

너무나도 훌륭하고 존경스러운 사람들이다. 보통은 인기를 얻게 되면 독이 되어 교만에 빠지게 되는데 두 사람은 정말 훌륭한 삶을 살고 있음에 존경하지 않을 수 없다.

부러운 생각도 든다.

그래서 생각되는 것이다. 앞에 얘기한 모든 정치인들도 이 부부의 삶을 보고, 좀 깊이 생각해 봤으면 하는 것이다. 이것이 인간의 삶이고 가치의 삶이며 지혜의 삶임을 깨달았으면 좋겠고, 삶은 나만을 위해 사는 것이 아닌 남을 위해 사는 것이며, 나의 주장이 아닌 국민의 주장을 깨닫는 것이 지혜의 정치임을 알았으면 하는 것이다.

25.

아픔의 또 다른 가치

《대한시니어신문》 칼럼 2024.10.21.

삶 속에는 많은 시련과 고통들이 있다. 그래서 좌절하고 절망하고 때로는 삶을 포기하기까지도 한다. 그러나 아픔을 아픔으로만 느껴서는 안 된다. 아픔이 주는 가치가 있다.

인간은 사랑하기 위해 존재한다. 다른 이유가 있을까.

그런데 사랑하기 위해서는, 대상과 하나 될 수 있어야 한다. 아픈 사람과 하나 될 수 있어야 하고, 고통받는 사람과 하나 될 수 있어야 한다. 하나 될 수 없다면 대상이 바라고 원하는 사랑을 알 수 없다.

그리고 하나 되기 위해서는 이해할 수 있어야 한다. 아픔을 이해할 수 있어야 하고, 고통을 이해할 수 있어야 한다. 이해할 수 없다면 하나 될 수 없다.

이해하지 못하는 나만의 사랑은 자칫 교만이 될 수 있고, 상대에게는 다른 아픔이 될 수 있다.

그러므로 이해하기 위해서는 나 자신도 아파 봐야 하고 고통도 받아 봐야 하며, 그래서 그 고통과 아픔을 알 수 있어야 한다.

그렇다고 해서 반드시 아파 봐야 하고 실패해 봐야만 한다는 얘기는 아니다. 다만 그러지 않고는 상대를 이해할 수 없고 상대가 원하는 사랑을 알 수 없다는 얘기다.

아파 본 것만큼, 고통받아 본 것만큼 이해하고 하나 될 수 있으며 그때 진정한 사랑을 할 수 있고, 또 실패해 본 것만큼 좌절해 본 것만큼 이해하고 하나 될 수 있으며 그때 바라고 원하는 사랑을 할 수 있다.

배가 고파 본 사람만이 배고픔의 아픔을 알 수 있고 배고픈 사람을 이해할 수 있으며, 실패해 본 사람만이 실패의 아픔을 알고 실패한 사람을 이해할 수 있다.

아파 보지 않은 사람이 아픈 사람을 이해할 수 있고, 배가 고파 보지 않은 사람이 배고픈 사람을 이해할 수 있다고 한다면 거짓이다.

체험하지 않은 것만큼, 아픔을 모르는 것만큼 그 이상은 사랑할 수 없다. 아픔의 가치가 거기에 있고 고통과 실패와 좌절의 가치가 거기에 있다.

그러므로 아픔을 모르고 고통을 모른다는 것은 아직 사랑을 모르는 것과 같다. 아픔과 고통의 가치다. 시련과 고통과 아픔이 주는 의미와 가치를 깨달아야 한다.

인간은 사랑하기 위해 존재한다. 그러기 위해 하나 될 수 있어야 하고, 하나 되기 위해 이해할 수 있어야 하며, 이해하기 위해 고통과 아픔을 체험할 수 있어야 한다. 닥쳐오는 어떠한 시련과 고통도 다 참고 받아들일 수 있고 체험할 수 있어야 한다. 그것이 또한 성숙이다.

26.

행복한 사람들

《대한시니어신문》 칼럼 2024.10.14.

삶의 목표는 행복이라 할 수 있다. 행복이란 '생활 속에서 충분한 만족과 기쁨을 느끼는 상태'를 말한다. 만족과 기쁨을 느끼지 못한다면 행복이라 할 수 없다. 또한 행복은 주관적이지만 객관적이기도 하다. 혼자서 무조건 행복하다고 해서 행복이라고 말할 수 없다. 옳지 못한 방법으로 부요하게 산다고 해서 행복이라 말할 수 없고, 형제들은 못 먹고 못사는데 혼자서 잘 먹고 잘산다고 해서 행복이라 말할 수 없으며, 시한부 암 환자가 자신의 죽음을 모르고 만족을 느끼며 산다고 해서 행복이라 말할 수 없다. 행복은 함께 느낄 수 있을 때 진정한 행복이 된다.

또한 세상적 가치가 행복이 될 수 없다. 물질이나 명예나 권력 자체가 행복이 될 수 없다는 얘기다. 물질의 부요와 권력을 누리며 편안한 삶을 산다고 해서 행복이 아니다. 잘 먹고 잘산다고 해서 행복이라 말할 수 없고, 높은 지위에 있다고 해서 행복이라 말할 수 없다. 경제적으로 잘사는 나라들의 행복 지수가 그렇지 못한 나라들의 행복지수보다 반드시 높은 것도 아니다.

행복은 깨닫고 느끼는 것이다. 행복을 가지고도 행복인 것을 깨닫지 못한다면 행복일 수 없다. 어린아이에게는 값진 보석을 쥐여 주어도 보석의 가치를 모르는 것과 마찬가지로 물질을 가지고도, 명예와 권력을 가지고도 진정한 만족과 기쁨과 그리고 마음의 평화를 얻지 못한다면 행복이 될 수 없다. 불행한 사람은 행복을 알지만, 행복한 사람은 불행을 모른다. 그래서 행복이 행복인 것을 모른다. 그것이 불행이다.

오래전 어느 한 TV프로에 소개된 85세(당시)의 노인이 나왔다. 교통사고로 식물인간이 되어 22년간 병상에 누워 있는 아들과, 치매와 파킨슨병에 걸린 부인을 8년 동안 돌보고 있는 할아버지에 대한 얘기다. 부인과 아들은 한 병원 한 공간에 있어도 서로를 알아보지 못한다. 할아버지는 돈도 명예도 권력도 원하지 않는다. 오직 원하는 행복은 가족이 서로를 알아볼 수 있고 옛날처럼 오손도손 살아갈 수 있는 것이다.

우리는 가진 것이 많다. 그런데도 무엇을 얼마나 가졌고, 가지고 있는 그것들이 얼마나 행복인 것을, 얼마나 많은 축복인 것을 모른다. 또한 그러한 것이 그렇지 못한 사람들에 대해 교만이 되고 죄가 된다는 것도 모른다. 그러면서 행복을, 가지고 있지 않은 다른 것에서 찾으려 한다.

건강한 팔다리를 가지고도 불행한 사람이 있는가 하면 '걸을 수만 있다면 얼마나 행복할까'를 생각하는 사람이 있고, 두 눈을 가지고도 불행한 사람이 있는가 하면 '볼 수만 있다면 얼마나 행복할까'를 생각하는 사람도 있다. 또한 집 밖의 자연을 그리워하는 사람이 있는가 하면 한 칸의 집을 그리워하는 사람이 있다.

행복은 깨닫는 것이다. 가진 것은 없지만 행복하게 살아가는 사람들이 많이 있다. 병상의 고통 중에도, 또는 물질적 시련과 아픔 중에도 행복을 느끼며 살아가는 사람들이 있다. 물질과 행복은 별개의 것이기 때문이다. 행복은 지금 가지고 있는 그것이 행복인 것임을 깨닫는 것이다. 지금 내가 얼마나 많이 가졌고, 그 가진 많은 것들이 얼마나 큰 축복이고 행복인 것을 깨닫는 것이 행복이다. 깨닫고 감사해야 한다.

27.

인간의 자유의지

《대한시니어신문》 칼럼 2024.10.7.

신(神)은 인간들에게 자유의지를 주었다. 그래서 인간들은 자신의 의지대로 무엇이든지 선택할 수 있다. 그것은 그만큼 신(神)이 인간들의 인격을 존중해 주는 것이라 할 수 있다. 마치 아버지가 자식의 인격을 존중해 주는 것과 같이 말이다. 그러나 어쩌면 인간들에 대한 모험일지도 모른다는 생각이 든다.

인간들은 살아가면서 모든 일에 자유의지의 결단을 내려야 하고, 그 결과를 얻게 되며 결과에 대한 책임을 지게 된다. 옳은 결단에 대해서는 좋은 결과를 얻게 되고, 잘못된 결단에 대해서는 나쁜 결과를 얻게 되며, 살아가면서 겪게 되는 모든 희로애락과 시련과 고통과 아픔들 또한 인간 자유의지 결단의 결과들이라 할 수 있다. 물론 직접적으로 내 의지와 상관없이 오는 고통과 불행도 있을 수 있지만, 그러나 누구의 결단이든 모두 인간들 의지의 결단들이다.

그렇다면 이러한 질문을 할 수 있다.

신(神)이 인간들의 인격을 그토록 존중해 준다고 한다면 처음부터 '좋은 결단만 하고 나쁜 결단은 하지 않도록 했으면 좋았지 않았겠냐'고 질문할 수 있다. 그렇게 되면 시련과 고통이란 것도 없을 것이고, 선택의 어려움도 없을 수 있으니 말이다.

그러나 그렇게는 할 수 없다. 신은 인간들의 인격을 존중해 주기에 자유의지를 준 것이고, 그 자유의지에 의해 인간들 스스로가 선택하도록 했으며 그 선택의 결과에 대한 책임도 지게 한 것이지, 자유의지가 없는 기계나 로봇을 만든 것이 아니기 때문이다. 그것이 바로 인간들을 존중해 주는 것이라 할 수 있고, 인간들만이 가지는 가치라고 할 수 있다. 그러므로 처음부터 나쁜 결단 없이 좋은 결단만 하기를 원하는 것은 마치 자유의지를 가진 인간이기보다는 하나의 기계나 로봇이기를 원하는 것과 같고, 인간이기를 포기하는 것과 같은 것이다.

또한 세상에는 성공과 실패가 있어야만 하고, 그로 인한 기쁨과 고통 또한 있어야 한다.

실패가 없는 성공이 있을 수 없고, 고통이 없는 기쁨이 있을 수 없다. 모두 다 1등이 될 수 없고, 모두 다 성공할 수 없다. 그러므로 의지 결과에 의한 성공과 실패가 따르기 마련이고, 그래서 기쁨과 고통 또한 있어야만 한다.

그러면 또 이러한 질문을 할 수 있다.

'그렇다면 인간들에게 자유의지는 주되, 처음부터 시련과 고통이라는 것이 세상에 존재하지 않고 행복만 있게 했으면, 불행도 시련도 없이 좋았지 않았겠냐'고 얘기할 수 있다. 인간들을 그토록 존중해 준다고 한다면 말이다.

그러나 세상에는 값지고 고귀한 열매들이 있다. 그 열매들은 그냥 저절로 쉽게 얻어지는 것이 아닌, 값진 노력의 과정을 거쳐야만 얻어질 수 있는 것들이다. 즉, 시련과 고통과 역경의 과정을 거쳐야만 얻어질 수 있는 것들이다. 성공과 행복이라는 귀중한 열매가 삶 속에서 저절로 또는 쉽게 얻어질 수 있는 것이라고 한다면, 그렇다면 그러한 것들이 어떻게 값지고 가치 있는 것이라 할 수 있고 또한 그것들을 얻으려고 애쓰고 노력할 이유가 있겠는가. 운동선수가 값진 금메달을 획득할 때에 힘 안 들이고 누구나 저절로 얻을 수 있는 것이라고 한다면, 그렇다면 그것을 얻으려고 애쓰고 힘들일 이유가 어디 있고 그렇게 해서 얻은 그것이 어떻게 값진 결실의 가치라고 얘기할 수 있겠는가. 시련과 고통 없이는 삶의 가치를 찾을 수 없고, 삶의 가치는 바로 시련과 고통 속에서 찾을 수 있는 것이다.

신은 인간들에게 자유의지를 주었다. 그리고 자유의지를 통해 완성으로 성숙하여 가게 했다. 살아가면서 겪게 되는 모든 시련과 고통이 바로 완성을 위한 성숙의 과정들이다. 시련과 고통 없이는 성숙할 수 없고, 평안과 안일 속에서는 나태와 교만만이 있다. 우리는 살아가면서 우리에게 닥쳐오는 어떠한 시련과 고통도 다 참고 견뎌 낼 수 있어야 한다.

28.
달란트

《대한시니어신문》 칼럼 2024.10.2.

우리는 머리가 좋거나 재능이 많은 사람들을 보게 되면 부러워하게 된다. 어떻게 저 사람은 저렇게 머리가 좋을 수 있을까. 어떻게 저 사람은 저렇게 재주가 많을 수 있을까 하고 부러워한다. 그런데 부러워할 필요가 없다.

神은 인간들에게 각각 다른 달란트를 줬다. 머리는 좋은데 노래를 못하는 음치가 있고, 노래는 잘하는데 공부를 못한다. 또 운동은 잘하는데 공부를 못하고, 공부는 잘하는데 운동은 잘 못 한다. 장미꽃의 달란트가 다르고, 코스모스의 달란트가 다르다. 장미꽃은 화려하지만, 코스모스는 고결하고 청초하다. 그래서 장미꽃이 더 아름답다, 코스모스가 더 아름답다 할 수 없다. 아름다움은 같다. 그러기에 한 가지 재능을 가지고 잘하네 못하네 부러워할 필요가 없는 것이다. 재능별 달란트가 각기 다르기 때문이다. 중요한 것은 그다음부터다.

받은 달란트를 가지고 무엇을 얼마나 새로운 창조를 이루어 냈느냐 하는 인간의 의지력과 노력이 중요한 것이지, 神으로부터 받은 달란트 자체는 자랑할 것이 못 된다. 받은 만큼 책임과 의무가 따르기 때문이다. 열 달란트를 받은 사람은 열 달란트 이상부터 계산돼야 하고, 다섯 달란트를 받은 사람은 다섯 달란트 이상부터 계산돼야 하며, 한 달란트를 받은 사람은 한 달란트 이상부터 계산돼야 한다. 그래서 각 달란트를 받고 얼마나 더 이루어 냈느냐가 중요하다.

열 달란트를 받고 다섯 달란트를 더 남긴 사람보다는 한 달란트를 받았지만 두 달란트나 세 달란트를 더 남긴 사람이 더 잘한 것이다.

이런 경우도 있다. 나는 성품이 악하고 모질지 못하기에 착하고 선한 일에 대해서는 그래도 그렇지 않은 사람들보다는 낫지 않은가 하고 생각하는 경우다.

예를 든다면 필자는 가끔은 살아오면서 주변 사람들에 대해 잘해 주지 못했던 것들에 대해 후회할 때가 있다. 그러면서 잘해 주지는 못했지만 그래도 태생이 악하고 모질지 못하니까 착하지 못한 사람들보다는 잘한 것이 아닌가 하고 스스로 위로할 때가 있다. 그런데 그것이 과연 맞는 말일까. 잘해 준 것은 없지만 해를 끼치지 않았으니 그래도 잘한 것이 아니냐는 착각을 한다. 말이 안 되는 소리다.

착함 자체만은 칭찬받을 일은 아니다. 착한 달란트를 가지고 무엇을 얼마나 이루어 냈느냐가 중요하다. 이웃을 위해서 적극적으로 무엇을 했느냐, 얼마나 나누고 베풀고 도와주고 관용을 베풀며 이해하고 용서하고 사랑하며 살아왔느냐가 중요하다. 창조하지 않는 달란트는 의미가 없다. 아무것도 이루어 내지 않는 달란트는 자랑할 것도 부러워할 것도 못된다.

장미꽃은 고결함을 부러워할 필요가 없고, 코스모스는 화려함을 부러워할 필요가 없다. 어디에 있든 산길이든 들길이든, 보는 이가 있든 없든 각자 위치에서 받은 달란트에 충실하면 된다.

달란트는 새로운 창조를 위한 의무이고 책임이다. 우리는 각자의 달란트를 찾아야 하고 그 이상의 새로운 창조를 위해 노력해야 한다.

29.

무관심이 잘못이다

《대한시니어신문》 칼럼 2024.9.23.

필자는 힘들고 어려울 때마다, 또는 좌절하고 포기하고 싶을 때마다 스스로에게 불평도 했다.

"내가 무엇을 잘못했는가. 그래서 나에게 이러한 시련이 오는 건가. 공직자로서 법대로 규정대로 사회규범대로 양심껏 살려고 노력해 오지 않았는가. 내가 누구에게 사기를 쳐 본 적이 있는가. 아니면 공직을 빙자해서 불법, 부당한 일을 해 본 적이 있는가. 누구를 헐뜯은 일이 있는가. 이 정도의 생활이면 되는 것 아닌가. 나보다도 더 형편없이 사는 사람들이 얼마나 많은데, 내가 무엇을 잘못했는가." 하고 원망하며 항변했다.

그래도 이 정도 생활하고, 더욱이 큰 잘못 없이 생활하고 있으면 잘하는 것으로 생각했고, 그래서 '나는 잘하고 있는데 왜 시련이 오는 건가' 하고 원망하고 있었다. 그런데 그렇게 생각했던 그것이 아주 잘못된 생각임을 알게 됐다.

잘못하지 않아서 잘못한 게 없는 것이 아니라, '할 일을 하지 않았기 때문에' 잘못이 있는 것이다. 인간은 '무엇인가 하기 위해' 존재한다. '하지 않기 위해' 존재하는 것이 아니다. '해(害)를 끼치지 않기 위해, 또는 잘못하지 않기 위해' 존재하는 것이 아니라, '하기 위해' 존재하는 것이다. '하지 않는다는 것'은 존재의 의미가 없고 존재하지 않는 것과 같다. 나무와 돌은, 아무것도 하지 않는다. 그래서 잘못이나 해를 끼치지 않는다. 그러나 인간은 '해야 하는' 존재다.

법과 규정은 인간관계 유지를 위해 필요하다. '살인하면 안 된다. 도둑질하면 안 된다.' 등의 모든 계명이 다 인간들 간의 관계와 유지를 위해 필요하다. 그런데 법규를 잘 지켰다고 해서, 사회질서를 잘 지켰다고 해서 할 일을 다 한 것은 아니지 않는가.

학생이 교칙을 잘 지켰다고 해서, 또는 회사원이 사칙을 잘 지켰다고 해서, 할 일을 다 한 것이 아니지 않는가. 교칙과 사칙을 지키는 것은 물론이고, 학생이면 공부를 열심히 해야 하고, 회사원이면 회사를 위해 생산성을 높여야 하며, 정치인은 국민과 국가 발전을 위해 열심히 일해야 한다. 즉, 법을 지키는 일과 해야 할 일은 별개의 것으로 법을 지켰기 때문에, 남에게 해를 끼치지 않았기 때문에, 잘못하지 않았기 때문에 할 일을 다 한 것이 아니라, 해야 할 일을 하지 않은 것이 잘못이고 해가 된다는 얘기다.

해야 할 일은 인간관계의 관심과, 함께하는 삶이다. 나만을 위한 삶이 아닌, 남을 위해 적극적으로 관심을 갖고 나누고 베푸는 삶이다. 그 일을 하기 위해 인간들은 존재하는 것이다. 나누고 베풀고 이해하고 용서하고 도와주기 위해 존재하며 그것을 하지 않았을 때 즉 무관심일 때 그것이 잘못이고 해가 된다.

필자는 이제까지 남에게 해를 끼치지 않거나 잘못하지 않는 것이 바로 남을 위하고 도와주는 일이라고 생각하며 살아왔다. 그러면서 그것을 자랑으로 생각하며 항변해 왔다.

그러나 잘못하지 않았기 때문에 잘한 것이 아니라, 나누고 도와주고 베풀고 이해하고 용서하지 않은 것이 잘못이고 해(害)가 된다는 얘기다.

우리는 '잘못하지 않고 살아왔습니다'라고 자랑할 것이 아니라, 이웃에 대해 관심을 갖고 '무엇을 하며 살아왔습니다'라고 얘기할 수 있어야 한다.

30.

변화시키는 것

《대한시니어신문》 칼럼 2024.9.19.

어느 일간지에 가슴을 뭉클케 하는 기사 하나가 실렸다. 27년 전 IMF 당시 어느 소년이 경남 통도사 자장암 시주함에서 돈 3만 원을 훔쳤고, 그것이 가책되어 평생 마음에 넣고 살다가, 얼마 후에는 자신이 한 아기의 아빠가 된다는 것을 알고, 당당하고 멋진 아빠가 되기 위하여 27년 전의 일을 참회하는 심정으로 한 통의 편지와 함께 익명으로 3만 원의 몇십 배가 되는 200만 원을 시주함에 되돌려 갚았다는 내용이다.

아울러 감동적인 얘기는 돈을 훔치던 당시 그 소년을 발견했던 스님의 태도다. 돈을 훔치러 간 소년에 대해 도둑으로 몰거나 야단을 쳐 내쫓은 것이 아니라, 아무 말 없이 소년의 어깨를 뒤에서 가만히 잡고 머리를 흔들며 '그러면 안 돼' 하는 무언의 태도로 소년을 변화시킨 것이다.

글을 읽으면서 마음이 뜨거워짐을 느꼈다. 감동적이었다. 사막 한 가운데서 오아시스라도 만난 듯한 느낌이랄까, 그래도 세상은 살 만한 가치가 있구나 함을 느낄 수 있었다.

용서와 사랑은 손해를 보는 것이 아니라 뉘우침과 반성을 낳게 하고, 뉘우침과 반성은 곧 새로운 변화를 낳게 한다는 것을 깨달을 수 있었다.

스님은 부정적으로 화를 내거나 야단을 쳐 내쫓은 것이 아니라, 긍정적으로 이해하고 용서하고 사랑을 베푼 것이다. 그 결과 소년에게 감동과 울림을 줬고, 그 감동과 울림은 자신을 반성하고 뉘우치게 했으며 한 사람의 삶을 새롭게 변화시키고 거듭나게 했다. 긍정과 이해와 용서와 사랑의 힘이다.

그런데 같은 날짜 바로 밑의 기사에는 정치인들의 대화하는 모습이 나온다.

야당 정치인들이 한 유튜브 방송에 나와 여당 대표 외모에 대해 비하하는 발언들이다. 대화 내용은 참으로, 이분들이 국회의원인지, 뭐 하는 사람들인지 의심스러울 정도로 한심하다는 느낌밖에 들어가지 않는다. "한동훈의 키가 180cm가 맞느냐", "키높이 구두 같은 거 신은 거 같더라", "신발이 장식품이 달려 참 요란했다", "얼굴이 외계인 보는 거 같았다", "좀 징그러웠다," "사람이 좀 얇더라" 등등의 대화였다. '키가 크니, 작으니' 하는 말이 무슨 말인가. 국회의원들의 대화 내용이 맞는가. 어이가 없다. 디지털 시대에 초등학생들도 이러한 대화는 안 한다. 혹 사석에서 객담이라면 또 모르겠다. 그런데 유튜브 방송에 나와 이런 대화를 나눌 수 있는 것인지 한심한 생각이 들어간다. 국민의 지도자라고 자칭하는 사람들이 말이다. 저열하고 저급할 뿐이다. 국민들은 먹고살기 바쁜데, 하루하루 고통 속에 살아가는데, 그런데 국민들을 위해 일해 달라고 뽑아 놓은 사람들이 그렇게도 할 일이 없는 것인지. 국민들의 혈세로 봉급을 받아 가면서 이런 대화로 노닥거리고 있을 때인지 부끄럽기 짝이 없다.

이러한 저급한 대화 내용들을 보면서 바로 앞의 기사 내용과 비교가 되는 것이다. 앞의 기사는 바로 이해와 용서와 사랑의 얘기다. 이해하고 용서하고 사랑하는 가운데 반성과 회개를 가져오게 했고, 반성과 회개는 변화와 새로운 탄생을 낳을 수 있게 했다. 긍정이 긍정을 낳은 것이다.

그런데 국회의원이란 사람들이 할 일을 하지 않고 둘러앉아서 남이나 헐뜯고 비방하고 부정하고 미워하고 있다면 그 결과가 좋을 것인가. 반성과 변화와 새로운 탄생이 일어날 것인가. 이해와 협조와 국민을 위한 정책이 나올 수 있을 것인가.

위의 기사에서 배우기를 바라는 마음이다. 부정은 부정을 낳을 수밖에 없고, 증오는 증오를 낳을 수밖에 없다. 악의 씨앗에서는 악의 열매밖에 나올 것이 없다. 앞의 기사를 읽을 때는 감동적이었는데, 밑의 기사를 읽을 때는 개탄스럽기만 한 것이다.

지도자라고 하는 사람들이 할 수 있는 일은 무엇이 있는가. 비겁한 방탄과 탄핵과 가짜 뉴스와 괴담과 고함과 권위와 포퓰리즘뿐이다. 그러면서 이들이 누리는 특권은 불체포특권, 면책특권 등 186가지에 달한다고 한다. 그런데도 의회의 효과성 면에서 볼 때는 세계에서 꼴찌에서 둘째라고 한다. 한심스럽다. 그러면서도 국민의 대표기관이라고 하니, 할 말을 잊는다.

31.

고결
(高潔)

《대한시니어신문》 칼럼 2024.9.10.

금년 여름은 유난히도 무덥고 지루했다. 그런데 그 지루했던 더위도 드디어 38일 만에 막을 내렸다. 올여름 더위는 기상 관측상 역대 최고치라고 한다. 요즘은 그래도 아침저녁으로는 제법 살 만도 하다. 인적이 드문 곳에서는 귀뚜라미가 울기 시작했고 바람도 제법 선선하게 불기 시작했다. 파란 하늘도 보이기 시작했고, 아직 이른지는 모르겠지만 괜히 기분이 상쾌해지고, 어제오늘 며칠 그러다 보니 언제 더웠나 할 정도로 더위가 잊히는 것 같기도 하다. 그래서 사람은 말 그대로 간사한 동물인 것 같다. 며칠 있으면 민족 대명절인 추석도 돌아온다. 하늘도 좀 더 청명해진 것 같고, 이럴 때 뭐니 뭐니 해도 가을의 상징은 코스모스가 아닌가 생각된다.

옛날에는 시골 신작로에 코스모스 꽃도 많이 피었다. 먼지 이는 비포장도로인 신작로 양쪽으로 흐드러지게 핀 코스모스가 군락을 이루고 가을바람에 나부낄 때에는 그곳이 어디가 됐건 평화롭고 아름다웠다. 때로는 시골 논길 한적한 곳에 홀로 핀 코스모스를 볼 때는 애잔한 느낌마저 들기도 했다.

한없이 가냘프고 여성스럽지만, 훌쩍 큰 키는 어디를 봐도 가을 멋쟁이임에는 틀림없다. 산들 바람에도 쉽게 흔들리지만 그러나 꺾이지 않는 코스모스는 절개 있는 여인의 모습 같아 바라보는 이들의 마음을 설레게 하고 여운을 남겨 준다. 코스모스의 꽃말은 '소녀의 순결'과 '순정'이다.

기호에 따라 다르겠지만 필자는 어느 꽃보다도 가을 코스모스를 좋아한다. 물론 장미꽃이나 다른 꽃들처럼 화려하지는 않다. 화려하지는 않지만 화장 하지 않은 여인의 청순함같이 화려하지 않은 다른 아름다움이 있다.

코스모스를 정원 내에 심는 사람은 드물다. 코스모스는 대부분이 야생화다. 야하고 도시스럽지는 않지만 자태가 청아하고 고결스럽다. 그래서 더욱 아름다운 것이다. 정원에는 화려한 꽃들을 주로 심는다. 그러나 화려한 꽃들만 아름다운 꽃은 아니다. 화려하지는 않지만 다른 아름다움이 바로, 순결과 청순함이 주는 아름다움이다.

화려한 정원에 선택되지 못했다고 해서 가치 없는 꽃이 아니고, 봐주는 사람 없는 들판에 홀로 핀 꽃이라고 해서 버림받은 꽃이 아니지 않는가. 봐 주는 이 없고 관심 가져 주는 사람은 없지만, 그러나 보든 안 보든 어디에 있든 자연의 일원으로 묵묵히 순응하며 자신의 본분을 다

하는 그 모습이 아름다운 것이다.

인간들의 삶도 마찬가지다. 공부만 잘한다고 해서 꼭 성공하는 삶이 아니고, 돈 많이 벌었다고 해서, 높은 지위를 얻었다고 해서, 명예를 얻었다고 해서 성공한 삶이 아니지 않는가.

각자 위치에서 흔들림 없이 임무에 충실한 삶이 바로 의미 있는 삶이고 성공한 삶이며 철학이 있는 삶이다.

어떻든, 끝이 없을 것만 같았던 더위도 이제 끝나 가고 있다. 가을을 맞아 지쳤던 몸과 마음을 재충전하고, 화려하지는 않지만 결코 아름다움을 잃지 않는 고결한 코스모스와 같이, 어떤 위치에 있던 자신의 가치를 깨닫고 신념으로 최선을 다하는 삶이 성공한 삶이 아닐까 생각해 본다.

32.

언제까지
저럴 것인가

《대한시니어신문》 칼럼 2024.9.2.

모(某) 일간지의 칼럼을 읽고 공감되는 부분이 있어 몇 자 적고자 한다.

칼럼내용에는 배우 차인표 씨가 쓴 소설이 영국 옥스포드대학의 한국학 필수 도서로 선정되었는데 그 이유로는, 평소 소설을 쓰기를 원했던 차인표 씨가 캄보디아 오지에서 55년 만에 돌아오는 위안부 할머니를 보고, 일제 만행에 대한 분노를 느껴, 증오와 보복의 마음으로 글을 쓰려고 했으나, 그러한 마음으로는 소설을 풀어 갈 수가 없어 결국 용서와 화해의 내용으로 완성할 수 있었는데, 옥스포드대학에서는 바로 용서와 화해 그리고 연대의 정신을 높이 평가해 필수 도서로 선정했다는 얘기다.

세상은 용서와 그리고 연대의 가치로 변해 가는데 '언제까지 저럴 것인지' 답답하기만 한 것이다. 우리 국회에 대한 얘기다. 요즘 청문회를 보면서 저런 모습들을 언제까지 봐야 할지, 어느 때는 애꿎은 가족들에게 버럭 '그걸 왜 봐' 하고 소리 지르기도 한다. TV를 끈 화면이 훨씬 마음이 편해진다.

밑도 끝도 없는 탄핵 타령이다. 국민들은 지친다. 헌법재판소는 29일 이정섭 대전고검 검사에 대한 탄핵안에 대해 재판관 전원 일치 의견으로 기각했다. 이 검사는 9개월 동안 직무가 정지돼 있었다. 이 일에 대해서 어떻게 무슨 말을 할 수 있는지. 그런데 또 탄핵을 준비 중이라고 한다.

그리고 반일이 됐던 친일이 됐던 그것은 자유다. 그렇지만 이제는 철 지난 낡은 프레임몰이는 하지 말자는 얘기다. 국민을 기만하는 행위다. 국민들은 저만치 앞서 가고 있는데 뒤에서 언제까지 그럴 것인지.

베트남은 전쟁 등으로 국민 800만 명을 잃었다. 하지만 상대국에 대해 "미래를 위해 협력하자"고 했고, 김대중 정부가 '한국군의 베트남 양민 학살 의혹'에 대한 보상 의사를 밝히자 '필요 없다'고도 했다. 전쟁으로 560만 명이 숨진 폴란드도 독일과 안보 협력을 강화했다. 과거는 잊지 않되 미래를 지향한 것이다.

옥스포드대학이 차인표 씨의 소설을 선정한 이유도 용서와 연대의 가치였다. 모두가 미래를 지향하고 있다. 그런데 언제까지 특권의식과 권위, 가짜뉴스와 탄핵, 반일 · 친일 프레임 몰이를 할 것인지.

또 위원장 자리가 그렇게도 대단한 자린지. 근엄하다 못해 범접하기조차 두려운 굳은 표정의 얼굴을 보고 있노라면 가관이라는 생각이 든다. 자신은 한껏 위엄을 보인다고 생각 할지 모르겠지만, 국민들은 위엄이 아닌 위험한 인물이구나 하는 생각이 들어 간다. 어느 한 구석도 후덕스러운 품위라고는 찾아볼 수가 없다. 또 어느 의원은 갑자기 자기 통제가 안 되고 삿대질을 하며 '살인자'라고 고함을 질러 댄다. 하나같이 금방 멱살이라도 잡을 듯한 분노에 찬 얼굴들이다. 이것이 국민들이 뽑은 국회의 모습이다.

그런데 예전에는 그렇게 해도 잘 먹혀들어 갔다. 의원의 작은 목소리에도 증인이나 국정감사 수감자들은 '예, 의원님. 지당하신 말씀입니다'라고 답했다. 그런데 세상은 진보하고 있다. 언제부터인가 안 먹혀들어 간다. 준비도 없이 우격다짐으로 누르려 하는 것은 모자라는 짓이고, 만약 그렇게 했다가는 창피만 당한다. 세상은 변하는데 국회만 변하지 않고 구태의 모습 그대로다. 안타까운 일이다.

정당은 방탄이 아닌 국민을 위한 정당이고, 정쟁 또한 국민을 위한 정쟁이다.

여야 대표의 11년 만의 회담이라고 한다.

본능이 아닌 이성과 상식으로 미래를 지향하는 국회가 돼야 한다.

33.
괴담의 허상

《대한시니어신문》 칼럼 2024.8.26.

요즘 우리 사회는 너무 잘못돼 가고 있다. 정쟁이 아니라 전쟁을 하고 있고, 상대 정당이 아니라 적이며, 근거도 없는 각종 허위 괴담 유포를 통해 상대방을 파괴하려 하고, 불신과 양분의 사회로 만들어 가고 있다.

일본의 후쿠시마 원전 오염 처리수를 방류한 지 1년이 됐고, 결과가 며칠 전 언론에 보도됐다.

그동안 총 5만4,600톤의 처리수를 방류했지만 한 번도 방사능 기준치에 근접한 적이 없다고 한다. 그러므로 그동안의 모든 허위 괴담들이 거짓말이었음이 입증된 셈이다.

처음 후쿠시마 원전이 발생됐을 당시, 일부 시민 단체와 야당 정치인들은 이제 '방사능으로 범벅된 물고기를 먹게 됐다'며 공포감을 조장하는 등 허위 괴담과 의혹들을 제기했다.

그로 인해 수산물 소비가 급감했고 천일염 사재기까지 벌어져, 허위 괴담에 대한 피해는 고스란히 어민은 물론 수산물 상인들과 국민들이 보게 됐다.

그런데 방사능 기준치에 한 번도 근접한 적이 없음이 밝혀졌음에도 불구하고, 허위 괴담을 유포한 단체나 정치인들은 잘못을 인정하거나, 사과 한 마디 하지 않는다. 더 이상한 것은 유포나 선동자들에 대한 잘못을 묻지도 않고 사과 요구조차도 하지 않는다는 것이다. 언제 그런 일이 있었느냐, 하는 분위기다. 분명 사과 요구를 해야 하고, 피해 구상권 행사도 해야 하며, 유포자 및 선동자들은 법적 도의적 책임을 져야 한다. 어떻게 아무 일도 없었던 일이 될 수 있겠는가. 책임을 묻지 않는 것 자체도 직무유기다.

괴담으로 인한 사회적 · 경제적 손실은 천문학적 수치다. 후쿠시마 괴담 이후, 정부는 해산물에 대한 안정성 검사와 해산물 소비 촉진을 위한 각종 행사비로 3년간 1조 5천억 원의 헛돈을 썼다. 해산물과 천일염, 바닷물에 대한 방사능 오염 검사만도 4만 4천여 회를 실시해 쓰지 않아도 될 국민 세금을 낭비한 것이다.

광우병 괴담 때에는 미국산 쇠고기 수입이 전면 금지되는 등 직접 피해 비용과 간접 피해 비용을 합쳐 3조 7천억 원의 피해를 봤고, 사드 때에는 성주참외 연매출이 10% 이상 급락했으며, 전자파 우려에 따른 부지 변경으로 비용이 더 들기도 했다. 천성산 도룡뇽 서식지로 인한 공사지연으로는 145억 원의 손실이 발생했고, 제주 해군 기지 건설 공사

지연으로 건설사의 275억 원 피해를 정부가 메워 주기도 했다.

더 큰 문제는 사회적 불신과 양분에 대한 문제다. 광우병 파동 때에는 MBC에서 주저앉아 있는 소를 '광우병 걸린 소'라 하고 '한국인이 인간 광우병에 더 취약하다'는 내용의 방송을 내보냄으로 국민의 불안감을 증폭시켰고, 미국산 쇠고기를 먹으면 '뇌가 송송 구멍이 뚫린다'고 하며, 어느 연예인은 '미국산 쇠고기를 먹느니 차라리 청산가리를 먹는 것이 낫다'고도 했다.

또 '방사능으로 범벅된 물고기를 먹게 됐다'고 주장하고, 전자파에 튀겨진 성주 참외를 먹게 됐다는 등의 괴담을 유포함으로 국민들의 불안을 고조시켰다.

이러한 일들이 어떻게 없었던 일처럼 가만히 있을 수 있는 일인가. 분명 책임을 져야 하고 책임을 물어야 하며 모든 경제적 손실도 구상권 등을 통하여 책임을 물어야 한다.

허위 괴담은 망국으로 가는 지름길이다. 거짓말은 신뢰를 무너뜨리고 국민을 양분화한다. 지금 우리나라 국민은 양분화가 극에 달해 내편과 네편으로 갈라서고 이해와 타협이 안 되며, 내편이 아니면 무조건적으로 생각하고 반대한다.

갈등과 불신의 사회 분위기가 극에 달해 있다.

잘못을 인정해야 한다. 인정하는 데서 화합할 수 있고 다시 통합 될 수 있다.

사실이 아닌 것을 괴담을 만들어 공격하는 것은 자기 배에 구멍을 뚫는 행위나 마찬가지다. 배에 구멍이 뚫린다면 자기는 살 수 있겠는가. 나라를 온통 흠집을 내고 구멍을 뚫는다면 나라가 온전할 수 있겠는가. 온전할 수 없다. 그런 나라는 지탱 될 수 없다. 언젠가는 망(亡)한다.

국민 통합이 이뤄져야 한다. 회개해야 한다. 그래야 모두가 살 수 있다. 잘못을 인정하고 그리고 서로 화합해야 한다. 그것이 살 수 있는 길이다.

34.

황혼(黃昏)의 가치

《대한시니어신문》 칼럼 2024.8.19.

8월 13일 자《조선일보》보도에 의하면, 일본에서는 20년 이상 된 부부들의 황혼 이혼율이 전체 이혼의 23.5%로 매년 증가하고 있다고 한다. 그리고 이들의 이혼 사유는 성격상의 차이라고 한다.

이혼하는 부부들의 이혼 사유를 보면 대부분이 성격상의 차이라고 말한다. 그러나 필자의 생각으로는 그렇지 않은 것 같다. 어느 부부라도 성격이 완벽하게 일치하는 부부는 없다. 서로 이해하고 보완하며 살아가는 것이 부부다. 그런데 평생을 함께 살아온 부부가 성격상의 차이로 황혼기에 이혼을 한다는 것은 이해가 되지 않는다.

물론 그분들은 다 그럴 만한 이유가 있을 것이다. 그런데 비유가 될지 모르지만, 부부란 운동회 때 두 사람이 발 하나씩 묶고 달리는 이인삼각(2人3脚) 경기와 같은 것이 아닌가 생각된다. 이 경기는 서로 호흡을 맞추고 힘을 조절하며 한 몸을 유지하지 않으면 안 되는 경기다. 한 사람이 주장하는 방향으로 달려갈 수도 없고, 혼자만 속도 내어 달려가도 안 된다. 마찬가지로 부부도 서로 호흡을 맞추고 같은 방향으로 같은 속도로 서로 보완해 달려가야만 목적지에 무난히 다다를 수 있다. 그리고 그렇게 해서 힘든 과정을 거쳐 함께 달려온 황혼의 길 자체가 바로 아름답고 값진 가치가 되는 것이다. 조개가 처음부터 진주를 품은 것은 아니지 않는가. 아픔과 고통의 과정을 거쳐 가는 동안 값진 진주가 만들어지듯이, 부부의 관계도 서로 다르고 안 맞는 부분을 함께 맞춰 온 삶 자체가 값진 결과가 되는 것이다. 그런데 그 값진 진주를 포기하려고 하는 것이다.

또한 이혼 사유에는 부부 간의 만족스럽지 못한 부분도 있을 수 있다. 그런데 만족이란 쉽게 얻어지는 것이 아니다. 쉽게 얻어지는 만족은 진정한 만족이 아니다. 쉽게 얻어진 만족은 쉽게 싫증이 나고 다른 만족에 대해 욕심을 갖게 된다. 값진 만족은 어려움 속에서 참고 견디고 인내하며 얻어 낸 만족이다. 예를 든다면, 어느 사람이든 힘든 노동을 통해 땀 흘리며 일하는 것을 좋아하는 사람은 없다. 그러나 땀을 흘리며 힘든 노동을 참고 견뎌 낸 후의 느끼는 만족은, 노동 없이 편하게 앉아 얻은 만족과는 비교가 되지 않는다. 힘들 때에는 포기하고 싶은 생각도 들겠지만, 그러나 그 과정을 참고 견뎌 냈을 때 얻어지는 만족과 행복이 진정한 만족이 된다. 부부간의 만족도 마찬가지다. 서로 안 맞는다고 해서 힘들다고 해서 쉽게 포기해 버린다면 부부 간의 만족은 어디에서도 찾을 수가 없다.

2인3각 경기는 처음부터 손발이 안 맞는 경기다. 그 안 맞는 것을 서로 보완하고 맞추는 것이 경기의 의미이듯이, 마찬가지로 부부 간의 관계도 처음부터 맞지 않는 것을 맞추어 가는 것이 부부생활의 의미다. 물론 그럼에도 불구하고 도저히 맞출 수 없는 경우도 있을 수 있다. 그렇지만 어떤 이유이든지 간에 황혼기까지 참고 노력해 살아왔다면 그렇다면 그것 자체가 값진 가치가 된다. 조개가 아픔을 참고 견뎌 온 과정이 진주가 되듯이, 마찬가지로 부부가 황혼까지 참고 노력해 온 것 자체가 바로 값진 가치라는 얘기다. 그 가치는 모든 것을 뛰어넘을 수 있는 가치다.

경기는 아직 끝나지 않았다. 등수에는 들지 못한다 하더라도 함께 달리는 자체가 중요한데, 그럼에도 불구하고 헤어지는 것은, 마치 묶었던 끈을 풀어 버리는 것과 같고, 어쩌면 자신의 삶 자체를 부정하는 것과 같은 것이 된다. 생각해 보자.

부부가 마지막까지 함께하는 것만큼 값지고 아름다운 것은 없다.

35.

건강과 감사의 마음 (1)

《대한시니어신문》 칼럼 2024.8.12.

보도에 의하면, 최근 하버드대학 연구팀이 여성 평균 나이 79세 4만 9,275명을 대상으로 연구한 결과, 일상생활에서 늘 감사한 마음을 가지고 있는 사람은 그러지 않는 사람들에 비해서, 전체 사망률이 29% 낮았다고 보고됐다.

감사하는 마음과 감사하지 않는 마음은 생각의 차이이다. 우리 인간들은 감사할 수밖에 없는 존재다. 이유는 우리가 지금 존재하고 있기 때문이다. 존재할 수 있다는 것 자체가 감사함 일수밖에 없다는 얘기다. 이제까지 우리는 존재하지 않았다. 그래서 실패도 없었고 절망도 없었으며 아픔도 고통도 없었다. 그런데 우리는 지금 존재하고 있고, 그래서 기쁨도 아픔도 희망도 절망도 느낄 수 있다. 그러니 우리가 느낄 수 있는 아픔과 고통을 포함한 모든 감정들이 다 감사함이 아닐 수 없다는 얘기다. 없다는 것, 존재할 수 없다는 것은 절망이다. 감사해야 한다.

감사함이 있는 곳에는 미움과 아픔이 있을 수 없고, 감사함이 있는 곳에는 믿음과 사랑이 있으며, 감사함이 있는 곳에는 분열과 다툼이 있을 수 없고, 감사함이 있는 곳에는 이해와 용서가 있다.

감사함이 있는 곳에는 불평, 불만이 있을 수 없고, 감사함이 있는 곳에는 나눔과 감사가 있으며, 감사함이 있는 곳에는 좌절과 절망이 있을 수 없고, 감사함이 있는 곳에는 희망과 용기가 있다.

필자는 매일 아침, 감사함으로 하루를 시작한다. 물론 재물이 있어서 감사한 것도 아니고, 권력과 명예가 있어서 감사한 것도 아니다. 가진 것과 자랑할 것은 아무것도 없다. 그럼에도 불구하고 진정 감사한다. 이유는 오늘도 '걸을 수만 있다면' 하고 간절히 원하고 있는 사람들이 있고, 또 '먹고 싶은 것을 먹을 수 있는 건강이 있다면' 하고 간절히 원하고 있는 사람들이 있는 반면, 나는 오늘 걸어갈 수 있고, 먹고 싶은 것 먹을 수 있는 건강도 있으니, 어찌 감사하지 않을 수 있겠는가 하는 것이다. 아직 존재해 있을 수 있고, 걸어갈 수 있으며 먹을 수 있는 건강이 있다는 것은 분명 감사함이 아닐 수 없다.

감사하는 마음은 어둠이 아닌 빛의 마음이다. 그래서 마음이 밝아진다. 가진 것이 없어도 실패를 해도 마음이 밝아진다. 그리고 미운 사람, 싫은 사람도 없어진다. 겸허해져야 함을 느끼게 되고, 모든 사람을 이해하고 아껴야 할 대상들임도 깨닫게 된다. 감사하는 마음은 행복한 마음이고 부족함이 없는 마음이다.

빛이 오면 어둠이 사라지듯이, 감사함이 있는 곳에는 미움과 다툼이 있을 수 없고 사랑과 기쁨과 즐거움이 있다. 그래서 감사할 수 있는 사람은 건강할 수 있고 장수할 수 있다. 감사의 삶을 살아가야 한다.

36.

국회와
디지털 데이터

《대한시니어신문》 칼럼 2024.8.5.

인간 스스로가 만든 공해로 인해 지구는 몸살을 앓고 있다. 그중 하나가 플라스틱이나 비닐이 땅속에서 미생물들에 의해서 생분해 되는 시간은 500년 이상도 걸릴 수 있다고 한다. 그것도 과학자들의 추측일 뿐이다.

그런데 인간의 산물 중 영원히 변질도 안 되고 썩지도 않고 원형 그대로 존재하는 것이 있다. 바로 디지털 데이터다. 소셜미디어상의 디지털 데이터는 미생물에 의해서 변질이나 분해도 되지 않을 뿐더러 영원히 원형 그대로 존재하게 된다. 데이터를 만든 사람이 죽어도 데이터만큼은 영원히 존재한다. 옛말에 호랑이는 가죽을 남기고 사람은 이름을 남긴다고 했지만, 이제는 데이터를 남기게 되면 지구가 멸망하는 날까지도 존재하게 된다는 얘기다. 보도에 의하면 소셜미디어상 페이스북의 경우, 죽은 사람의 계정이 2060년까지는 12억 개, 21세기 말까지는

49억 개가 되고, 22세기 초에는 살아 있는 사람의 계정 수보다 죽은 사람의 계정 수가 더 많아질 것이라고 한다. 이러한 현상은 소셜미디어상 다른 서비스에서도 마찬가지이다. 소셜미디어상에 거대한 납골당이 존재하게 된다는 얘기다. 물론 데이터는 본인이 죽기 전 삭제할 수도 있고, 그리고 유족들이 스스로 또는 요청에 의해서 삭제할 수는 있다. 그런데 유족들이 고인의 계정을 추모의 공간으로 활용할 수도 있고 또 삭제할 필요 없이 방치하는 경우가 있으며, 또 역사적 사료로서도 보존할 가치가 있다고 생각하기도 한다. 또 요즘은 AI에 접목해 상업적으로 활용되기도 한다고 한다.

그런데 필자는 이러한 것들을 보면서 생각나는 것이 있다.

요즘 국회를 보면 정말 이게 국회인가 싶을 정도다. 보지도 않고 듣지도 않는다. 국회의원은 상식이나 양식(良識) 같은 것은 필요 없는 조직이 됐다. 그것을 얘기하는 자체가 바보 같은 짓이다. 22대 국회가 개원한 지 두 달 만에 탄핵안 발의를 7건, 특검법 발의를 9건을 했다. 건국 이래 문재인 정부까지 탄핵안 발의는 21건이라고 한다. 그런데 22대 국회는 들어선 지 두 달 만에 7건을 발의했다. 여기에 대응해 상대 당에서는 장시간 필리버스터에 돌입한다고 한다. 이것이 국회의 모습이다. 이것을 보는 국민들의 심정은 국회를 즉시 해산이라도 시키고 싶은 심정이다. 그리고 또 한편 25만 원을 죽자 사자 고집한다. 그러면서도 이 집단에서 두 달 동안의 세금은 인건비를 포함해 1,200억 원을 썼다고 한다. 국회는 상식과 양식이 필요 없는 조직이다. 우기고 버티기만 하면 된다. 그래서 이기면 선이 되고, 지면 악이 된다고 생각한다. 그런데 그것은 착각일 뿐이다.

국회의원들은 가끔은 거울을 보고 자신들의 얼굴 표정관리를 연습했으면 좋겠다는 생각을 한다. 완장 찼다고 갑질하는 모습, 황제 같이 군림하는 모습, 두목이 조폭 다루듯 하는 모습들은 정말 가관이다.

다행인 것은, 디지털 데이터는 문자만이 아닌 영상으로도 남는다. 국회 현장의 모든 모습들이 영상으로 담겨 영원히 존재한다. 사가들은 사료로서 역사를 판단할 것이다. 예전에는 국회현장의 모습들이 사진 몇 컷 기록으로 남겨졌으나, 디지털 시대에는 현장의 모든 모습들, 표정관리까지 영상으로 전국 어디에서나 볼 수 있고, 그리고 그 데이터는 인류가 멸망하는 날까지 영원히 썩거나 분해되지 않고 그대로 남아 있게 된다.

그리고 그 모든 영상들은 사가들뿐만이 아니라 가족들도 또 후세들도 조상들의 국회에서 활동하는 모습들을 보고 회자될 것이고, 객관적 평가를 할 것이다. 이제는 과거와 달리 당시 현장만 운 좋게 넘어가면 되는 것이 아니라, 계정에 담겨진 데이터는 영원히 존재하게 된다는 것을 잊어서는 안 된다.

디지털시대에 살아가는 우리들은 인간들의 모든 활동이 과거처럼 당시의 평가로만 끝나고 잊히고 소멸되는 것이 아니라, 과거와 미래가 시간과 공간을 넘어서 공존할 수 있고 평가받을 수 있게 된다는 것을 잊어서는 안 될 것이다.

37.

젊음의 가능성 (1)

《대한시니어신문》 칼럼 2024.7.29.

우리나라의 비경제활동 인구수는 약 1,600만 명에 이르고 그 중 대졸 이상(전문대 포함)의 비경제활동 인구수는 406만 명에 이른다고 한다. 비경제활동 인구란 취업자도 아니고 실업자도 아니면서 일할 능력도 없고 일할 뜻이 없어 구직활동을 하지 않는 사람들이다. 비경제활동 인구로는 가정주부와 학생, 연로자, 심신장애자 등 노동을 할 수 없는 사람들이거나, 또는 조건에 맞는 일자리를 구하지 못해 취업을 단념하거나 포기하고 그냥 쉬는 사람들이다.

인간의 삶은 경쟁이다. 그래서 힘들고 어렵다. 그렇지만 어쩔 수 없는 현실이다. 경쟁 없이 살아간다면 세상은 발전할 수 없다. 경쟁자체가 발전이다. 살아 있는 한 경쟁해야만 한다. 그래서 삶은 쉽지만은 않은 것이다. 앞에서 얘기한 대졸 이상의 비경제활동 인구수가 406만 명에 이른다고 하는데 그것은 마음에 안 드는 직장이 없다는 것이 아니라, 마음에 드는 직장은 이미 다른 사람들이 차지하고 있고, 그 외의 직장이 마음에 안 들어 포기한다는 얘기다. 그러나 그렇다고 해서 포기해서는 안 된다. 취업을 포기한다는 것은 삶을 포기하는 것이나 마찬가지다. 얼마든지 원하는 일이나 직장에서 일할 수 있다. 젊음이란 바로 그것을 이루어 낼 수 있는 가능성이다. 도전하면 된다. 젊음만이 할 수 있는 가치다. 성공한 사람들은 포기한 사람들이 아니라 끝까지 도전한 사람들이고, 가능성이란 도전하는 사람들에게 있는 것이지 기다리는 사람에게는 없다.

그러면 필자에게 물을 것이다. '그렇게 해서 성공했냐'고 물을 것이다. 필자는 분명 '성공 못 했다'고 답할 것이고, 그렇지만 나이를 먹게 되면 젊은 길을 걸어왔기에 모르던 지혜를 알게 되고, 안 보이던 길이 보이게 된다고 얘기할 것이다.

필자는 젊은 분들에게 두 가지만 당부하고 싶은 것이다. 반드시 하고자 하는 일에 성공할 수 있고 조건에 맞는 직장에서 일할 수 있다. 그러기 위해서는 첫째, 목표 선택을 잘해야 한다. 중도에 변경하거나 돌아서는 목표가 되지 않도록 해야 한다.

한 우물을 파야 성공한다. 한 곳을 파고 들어가야 샘물을 만날 수 있지, 여기저기 파는 구멍에서는 성공하지 못한다. 후회하지 않고, 바꾸고 변경하지 않을 목표를 처음부터 선택하라는 얘기다. 이직(移職)의 스펙은 고용주에게는 도움이 될지 모르지만, 목표달성에는 도움이 되지 않는다. 그리고 목표를 높게 잡아야 한다. 높이 뛰려는 개구리가 그래도 그 근처에는 갈 수 있다. 가다가 '여기는 아니야' 하고 뒤돌아서는 것만큼 성공에서 뒤처지는 것이다.

머리가 좋은 사람, 재주가 많은 사람들은 목표 수정을 많이 한다. 이것도 하다가 저것도 한다. 또 여기저기서 픽업도 많이 한다. 그런데 필자가 경험한 바로는 그러한 사람들이 크게 성공하는 것을 보지 못했다. 재능과 능력이 있으니까 순간순간은 잘되는 것 같이 보일지 모르지만 결국은 큰 목표는 이룰 수 없다. 능력이 부족하더라도 머리가 좀 안 좋더라도 우직하게 한 우물을 판 사람만이 성공한다.

둘째, 이렇게 해서 목표가 선택이 됐다면, 그다음부터는 '이루어 내겠다'는 신념으로 노선을 바꾸지 말고 끝까지 밀고 나가야 한다.

'기필코 해내겠다'는 의지력을 성공할 때까지 지속적으로 자신에게 주문 암시하고 노력하라고 당부하고 싶은 것이다. 바로 신념이다. 신념이 바로 스펙이 되고 배경이 된다. 신념이 없으면 성공할 수 없다. 자신감을 가져야 한다. 그런 사람은 이미 성공의 절반쯤은 와 있는 것이다. 그러지 않고 처음부터 자신감이나 의지력 없이 포기하고 주저앉아 있는 사람은 성공할 수 없다. 부정적 사고는 금물이다. 의지력과 신념만이 성공할 수 있다.

젊음이란 가능성이다. 무엇이든지 이루어낼 수 있다. 포기하지 않으면 된다. '기필코 해 내겠다'는 신념으로 끝까지 밀고 가는 사람은 반드시 성공할 수 있다. 포기는 큰 실수이고 잘못이고 후회할 일이다.

'한 우물을 파야 한다. 끝까지 파야 한다.'

38.
탈북민

《대한시니어신문》 칼럼 2024.7.22.

쿠바 주재 북한대사관의 리일규(52) 참사가 지난해 11월 초 가족들과 함께 한국에 망명해 온 것으로 보도됐다. 리일규 참사는 김정은의 표창장까지 받은 사람으로, 2016년 귀순한 태영호 공사 이후 외교관 중 가장 높다고 한다.

리 참사는 말하기를, 북한 주민들은 한국 국민들보다도 더 통일을 갈망하고 있고, 자신들의 세대는 어쩔 수 없지만 자식들의 세대만큼은 김정은 체제에서 벗어나 행복해지기를 간절히 바라고 있다고 했다.

또한 북한 주민들은 김정은 정권의 감시와 통제 아래 오랜 기간 동안 전혀 밖의 세상을 모르고 살아왔지만, 이제는 휴대전화나 장마당을 통해서 북한 밖으로의 눈을 뜨기 시작했고, 한국에 대한 동경심이 커져가고 있다고도 했다.

윤석열 대통령은 지난 현충일 기념사에서 '대한민국은 세계에서 가장 밝은 나라가 됐지만, 이북은 가장 어두운 암흑의 나라가 됐다'고 말했다. 맞는 말이다. 지구상에 북한과 같이 어두운 나라가 또 어디 있고, 북한 주민들보다 더 비참한 국민이 어디에 있겠는가. 그들은 죽을 각오를 하며 암흑으로부터 탈출을 한다.

그동안 한국에 입국한 탈북민 수는 약3만 3천 명 정도에 이르고 있고, 이 중 사망자나 이민자를 제외하면 현재 약 2만 7천 명 정도가 국내에 거주하고 있다고 한다.

일인 독제체제 유지를 위한 북한 주민들에 대한 인권 침해는 날로 심해져 가고 있다. 기본적 인권과 자유에 대한 박탈 및 차별화, 또는 표현의 자유 침해와 생명권 침해, 이동의 자유 침해와 식량권 침해, 정치범 수용소 인권 침해와 고문과 학대, 강간, 공개처형, 적법한 절차와 법치의 부재, 즉결·자의적 처형, 정치적·종교적 이유의 사형 등 인권에 대한 침해가 열거할 수 없을 정도다.

그동안 북한인권 문제에 대하여 유엔 등 국제사회에서 관심을 갖기 시작한 것이 1990년대 중반부터이지만, 그렇지만 30년의 시간이 흐른 지금까지도 달라진 것은 아무것도 없다.

지구상에서 가장 불행한 민족이 북한 주민들이다. 북한 주민들은 독재자를 위한 노예일 뿐이고, 소모품과 같은 존재들이다. 노예는 인간으로서의 기본적인 권리나 자유를 빼앗겨 자기 의사나 행동을 주장하지 못하고 남에게 사역(使役)되는 사람들을 말하는데, 북한 주민들이 바로 그 노예 자체인 것이다. 그들은 그들의 삶도 죽음도 자신들의 것이 아니고, 오직 일인 독재자를 위해 존재할 뿐이다. 그렇게 살아온 것이 80여년, 눈이 있어도 보지 못하고, 귀가 있어도 듣지 못하며, 입이 있어도 말 한마디 하지 못하고 살다가 한 세대가 떠났고, 지금도 떠나고 있으며 그리고 그 속에서 또한 지금도 살아가고 있다. 이 얼마나 비참한 운명들인가. 북한 밖의 밝은 세상을 모르고 살아가고 있고, 인간 고유의 의지력을 가지고도 타의에 의해 살아가고 있으니 그곳이 바로 지옥이고 감옥일 수밖에 없다.

자식을 북에 두고 온 어느 여인은 울부짖고 있다. “기어다니는 바퀴벌레라도 잡아먹고 살아만 있어 달라”고 절규하고 있다.

김일성으로부터 김정은에 이르기까지 이들이 역사와 민족 앞에 지은 죗값에 대하여는 어떻게 치러져야 할 것인지. 지금도 북한전역에는 3만 5천여 개의 김일성 우상이 있고, 주민들은 굶어 죽어가고 있는데, 바퀴벌레라도 잡아먹어야 할 처지인데, 김정은은 고가의 사저와 고가의 자동차와 고가의 요트 등 초호화의 생활을 하고 있다는 것은 이미 세상에 알려진 사실이다.

리일규 참사는 또 얘기하고 있다.

자신을 포함한 외무성 직원들은 넥타이를 맨 꽃제비에 불과해 자신이 받은 월급은 0.3달러였고 쿠바 참사 때 받은 월급은 500달러(한화 69만 원) 정도였다고 한다.

그럼에도 불구하고 진리는 존재한다. 삼대세습 독재도 언젠가는 반드시 무너지고 말 것이다.

루마니아의 니꼴라에 차우세스꾸와 이라크의 사담 후세인, 리비아의 무라바크, 유고슬라비아의 밀로세비치, 필리핀의 마르코스처럼 어느 날 하루아침에 분명 무너지는 날이 오고야 말 것이다. 분명, 그날이 온다. 그럼에도 불구하고 고통스러운 그들의 삶은 오늘도 이어져 가고 있다.

39.

방안퉁수

《대한시니어신문》 칼럼 2024.7.15.

'방안퉁수'라는 말이 있다. 밖에서는 꼼짝 못 하고 집 안에서만 큰소리친다는 얘기다.

국민의힘은 지난 9일 전당대회에 출마한 후보들이 TV조선 스튜디오에서 합동토론회를 가졌다.

그런데 TV를 보면서 언뜻 생각나는 단어가 방안퉁수라는 단어다. 밖에서는 꼼짝 못 하면서 집 안에서만 큰소리를 친다.

지금 국민의힘은 하나로 똘똘 뭉쳐 힘을 합쳐도 힘들고 어려울 때다. 그런데 토론회가 시작되자마자 기다렸다는 듯이 서로 헐뜯고 흑색선전과 흠집 내기에 열을 올린다.

자신들의 능력이나 장점을 발표하는 장소가 아니라, 다른 후보의 단점이나 흠집을 끄집어내 모욕과 창피를 주고 상대적으로 평가받으려 하는 것이다. 그것은 그만큼 자신의 장점이나 내세울 만한 일이 없다는 얘기다. 다른 사람의 흠집이나 잘못을 덮어 주는 것이 아니라, 폭로하는 행위는 우선 인간성이 안 돼 있는 사람들이다. 그것도 없는 흠집을, '아니면 말고' 식으로 프레임을 만들어 뒤집어씌우려 한다면 그것은 사기행위고 범죄행위다.

국민들이 원하는 것은 후보자들의 능력 검증이다. 물론 후보의 과거 잘못이나 약점도 참고가 되겠지만 국민들에게는 당장 먹고사는 문제가 중요한 것이지, 흠집내기 위한 과거의 잘못 같은 것은 알고 싶지도 않고 또 그러한 행위를 하는 것을 좋게 보지도 않는다.

공격의 강도도 한계를 넘어서고 있다. 독하게 공격한다. 국민들이 심히 우려하고 있다. 그래서 생각나는 단어가 바로 '방안퉁수'라는 말이다. 그 독기(毒氣)로 집안싸움에 사용하지 말고, 진작 밖에 나가서 싸웠더라면 국민의힘의 상황은 그래도 지금과 같지는 않았을 것이라는 생각도 든다. 정작 사용할 때는 사용하지 못하고 집 안에서만 안면몰수하고 싸운다. 끝난 다음엔 서로 얼굴들을 어떻게 볼 것인지 심히 걱정스럽다. 그러한 구태 정치는 이제는 버려야 한다. 승자의 힘은, 서로 이해하고 협조하고 똘똘 뭉쳐 힘을 합칠 때 그때 강해지는 것이다.

그리고 후보들이 착각하고 있는 것이 있다. 한 명의 후보를 빼고는 모두 3선, 5선의 경력을 가진 사람들이다. 그래서 그 경력을 서로 자랑하고 있다. 3선, 5선의 경력으로 자신만이 대표직을 잘할 수 있다는 얘기다. 착각인 것 같다. 오히려 국민들이 더 안 좋아할 것 같다. 국민들은 물을 것이다. 경력만큼 해 놓은 것이 무엇이 있느냐고. 국민들은 변화를 원하고 있고, 새로운 정치를 바라고 있다. 그런데 국민들이 싫어하는 구태 경력을 가지고 자랑하고 있다. 국민들은 이제 구태 정치가 정말 싫고 짜증 나는 것이다. 오죽하면 국회는 차라리 없는 게 낫다는 말까지 나오겠는가. 새롭게 변화되기를 원하고 있다.

국민들은, 누구이든 간에 상대방의 단점을 덮어 줄 수 있는 후보, 상대방의 장점을 얘기해 줄 수 있는 후보, 그리고 서로 이해하고 협력할 수 있는 변화된 상식 있는 새로운 후보를 원하고 있다. 그러한 후보가 성공할 것이다.

40.

추모
(追慕)

《대한시니어신문》 칼럼 2024.7.8.

지난 1일 서울 시청역 부근에서 승용차 역주행으로 발생한 9명의 참사자들에 대한 발인식이 4일 오전 엄수됐다.

오전 5시 40분에는 서울시 공무원으로 재직했던 고 김인병(52) 씨의 발인식이 서울 국립중앙의료원 장례식장에서 엄수됐고,

오전 6시쯤에는 같은 동료 직원이였던 서울시 공무원 윤 모(30) 씨의 발인식이 서울 신촌세브란스병원에서 엄수됐다.

또한 오전 5시 20분에는 시중은행 박모(42) · 이모(52) 씨와 또 다른 52세 이 모 씨, 3명에 대한 발인식이 서울대병원 장례식장에서 엄수됐고, 오전 9시 50분쯤에는 이들과 같이 시중은행에서 근무하던 이 모(54) 씨의 발인식도 서울대병원에서 엄수됐으며,

또한 오전 9시쯤부터는 서울 대형병원에서 협력업체 직원으로 근무하다 참변을 당한 김 모(38) · 양 모(35) · 박 모(40) 씨의 발인식도 차례로 엄수됐다.

참으로 안타까운 일이 벌어졌다.

한 가정의 가장들이고, 없어서는 안 될 소중한 사랑하는 가족들이며 또한 자식들이다. 대부분이 30~50대의 젊은 사람들이다. 이제 한창 가정을 꾸리고 인생을 설계하고 뜻을 펼칠 나이들이다. 9급 공무원으로 시작해 착실히 5급까지 승진했고, 당일도 야근을 위해 저녁을 먹고 사무실에 복귀 중이었으며, 또 승진이 되어 동료들과 축하 회식 후 귀가 중에 참변을 당하기도 했다.

청천벽력의 일을 당한 유족들은 땅을 치며 통곡했다. 어느 어머니는 "자식을 두고 먼저 떠나면 어떻게 하느냐"고 울부짖었고, 백발의 노모는 운구차에 오르면서 실신하기도 했다. 몸부림치던 젊은 아내는 망연자실 울음을 참지 못했고, 아들의 관에 두 손을 얹고 있던 한 아버지도 끝내 참았던 울음을 터뜨리고 말았다.

마음이 아플 뿐이다. 모쪼록 고인들에 대하에 명복을 빈다.

세상에서 이루고 싶었던 일도 많았고, 계획했던 일도 많았으며, 해 주고 싶었던 일과 말, 용서해 주고 싶었던 일과 용서받고 싶었던 일들을 끝내 이루지 못하고 떠났지만, 그러나 모쪼록 하늘나라에서 더 큰 일로 이루시기를 빈다.

아울러 유족들에게도 빠른 시일 내에 마음의 안정과 생활의 평온을 찾기를 바라고, 역시 고인들에 대하여 해 주고 싶었던 말과 해 주지 못한 일, 용서하고 용서받지 못한 일들이 있었지만, 끝내 이루지 못하고 떠나보낸 아픔과 아쉬움을 다 잊고 평안을 찾기를 바라며, 돌아가신 영령들의 가호 아래 늘 항상 가정에 축복이 있기를 바라고 행복만을 빌 뿐이다.

41.

국민이 싫어하는 국민의 대표

《대한시니어신문》 칼럼 2024.7.1.

권위(權威)란, 남을 지휘하거나 통솔하여 따르게 하는 힘이다. 즉, 권위는 자신이 인정하는 것이 아니라 타인이 인정하여 스스로 따라오게 하는 힘을 말한다. 큰소리친다고 해서 없던 권위나 존경심이 생기는 것은 아니다.

그런데 요즘 국회의원들은 왜 그러는지 모르겠다. 제왕이라도 된 듯한 모습들이다. 권위도 없으면서 큰소리부터 친다. 그것은 권위가 아니라 갑(甲)질이다. 갑질은 자신이 가진 지위나 힘을 내세워 마구잡이로 무례하게 행동하는 짓이다. 갑질은 불법이고 폭력이다. 착각해서는 안 된다. 큰소리친다고 해서, 고압적으로 누른다고 해서 그것이 권위가 되는 것은 아니다.

요즘 국회가 시끄럽다.

국민의힘 외교안보특별위원회 의원들이 24일 기자회견을 열고 국회

법제사법위원회 더불어민주당 의원들을 향해 비판했다.

민주당은 지난 21일 국민의힘 의원들이 불참한 가운데 국회 법사위를 열고 '해병대원 순직 사건 특검법' 입법 청문회를 강행했다. 그 과정에서 민주당 법사위원들이 12시간 가까이 증인들에게 막말과 조롱 섞인 언사를 한 것에 대해 비판한 것이다.

정청래 위원장은 청문회 과정에서 증인들의 답변 거부와 태도를 문제 삼아 '10분 퇴장' 명령을 반복했고, 민주당 박지원 의원은 정 위원장에게 "한 발 들고 두 손 들고 서 있으라(고 해야 하는 것 아니냐)"고 했다.

필자는 평생 공직 생활을 해 왔다. 그래서 국회 회기 때마다 보따리를 싸들고 국회에 가서 생활하다시피 했다. 그래서 여의도 문화에 대해서는 좀 안다. 그런데 그때마다 느끼는 것이 국회의원들은 왜 한결같이 고압적인 자세인지 알 수 없다는 생각을 했다. 소리 지르고 윽박지르고 억압하려 한다. 국회의원이 행정부에 대한 견제와 감시 기관임에는 틀림없다. 그런데 고압적 자세로 큰소리친다고 해서 견제, 감시되는 것은 아니다. 그것은 갑질의 행위일 뿐이다. 멀쩡하던 사람도 국회의원이 되면 큰소리부터 친다. 그래야 자격이 있다고 생각하는 것 같다.

문제는 견제, 감시 기능을 갑과 을의 상하 관계로 착각하는 데 있다. 국회의원은 국회의원으로서 국민들로부터 부여받은 일을 하면 되고, 일반 공직자들을 비롯, 관계자들은 각자 위치에서 맡은 일을 하면 되는데, 굳이 갑의 행세를 하려고 하니 문제가 된다. 갑은 국민이다.

증인들에 대하여 '10분간 퇴장과, 두 손 들고 있으라'고 명령할 수 있는 근거는 어디에 있는가. 품위를 상실한 무례한 행동이다.

능력과 자질이 부족한 사람들이 권위를 내세워 큰소리친다. 얘기했듯이 권위는 자신이 인정하는 것이 아니라 타인이 인정하는 것이다. 국회의원이 됐다고, 큰소리치고 윽박지른다고 해서 없던 권위가 갑자기 생기는 것은 아니다.

먼저, 능력 향상과 인격을 쌓아야 한다. 그것이 권위고 국민이 바라는 국회의원이다.

아이러니하게도, 국민이 뽑은 국민의 대표기관임에도 불구하고, 국민들이 제일 싫어하는 사람들이 국회의원이라는 것을 잊어서는 안 된다.

42.

혼돈의 시대

《대한시니어신문》 칼럼 2024.6.24.

《대한사회복지신문》 칼럼 2024.7.15.

혼돈(混沌)이란 마구 뒤섞여 있어 갈피를 잡을 수 없는 상태를 말한다.

그런데 지금의 우리 사회가 그러한 때가 아닌가 생각된다. 갈피를 잡을 수 없고 무엇이 무엇인지 안개 속같이 구분이 안 된다. 이제까지 우리가 살아오면서 지금같이 혼란스러운 때가 있었던가 하고 생각된다. 없었다. 지금 우리 사회는 어느 것이 진실이고, 어느 것이 거짓인지 도저히 알 수가 없다.

인간에게는 양심이 있고 양심을 바탕으로 사회규범과 법이 만들어지며, 그 법과 규범 안에서 국가와 사회는 갈피를 잡고 질서를 잡아 간다. 갈피를 잡지 못하고 기준과 질서를 잡지 못한다면 국가와 사회는 잠시라도 존재할 수 없다. 인간은 관계적 존재이기 때문이다.

그런데 지금이 바로 양심도, 법도, 질서도 없는 혼돈의 때라는 것이다. 어느 것이 선이고, 어느 것이 악인지 알 수 없고, 또한 어느 것이 진실이고 어느 것이 거짓인지, 또는 어느 것이 맞고, 어느 것이 틀린 것인지 알 수가 없다. 무조건 주장하는 것이 선이고 무조건 우기는 것이 옳은 것이다. 그리고 그것이 법이고 양심이 된다.

그러나 분명 하나는 거짓이고, 진실이 아니다. 그럼에도 진실인 척 완벽하게 우긴다. 인간의 양심이 아니다. 인간의 가치는 바로 양심을 가지고 있는 데 있다. 다른 동물들과 다른 것은 선과 악을 구분할 수 있고 그리고 선을 선택하고 선을 지향할 수 있는 의지력을 가지고 있는 데 있다. 이것이 인간만이 갖는 가치다. 그런데 악이 악을 선택하고 있고 악을 지향하고 있다.

상황이 이러다 보니 국가와 사회는 안정이 안 되고 있고 악순환이 일어나고 있다. 잘될 리가 없다.

청년 실업이 40만 명이 웃돌고 있고, 대졸 실업자가 30만 명이 넘으며, 20대 고용률은 61%에 그치고 있다.

10대 마약 사범도 최근 5년 새 6배 이상 늘어난 것으로 나타났다. 작년 검찰 등이 단속한 전체 마약 사범은 2만 7,611명으로, 2019년에 비해 72.1% 증가했다. 10대 마약 사범도 2019년 239명에서 1,477명으로 5년간 6.18배 늘어났다.

출산율은 OECD 38개 회원국 평균 1.51명에 비해 한국은 0.78명으로 OECD 회원국 중 최하위이고, 국가별로는 2022년 기준 스페인 1.16명, 이탈리아 1.24명, 폴란드 1.26명, 일본 1.26명 등 1명 이하인 곳은 한국이 유일하다. 이혼율 역시 OECD 국가 중 한국이 1위고, 자살률 또한 한국이 OECD 국가 중에서 15년째 1위다. 그런데 혼돈과 사회적 문제가 무슨 관계가 있느냐고 얘기할 수 있다. 그러나 그렇지 않다. 안정이 안 되고 불안하니까 결혼율도 낮고, 출산율도 낮으며, 기업이 불안하니까 취업률도 낮고, 자살율도 이혼율도 마약도 증가하게 된다.

나비 효과(butterfly effect)는 나비의 작은 날갯짓처럼 미세한 변화, 작은 차이, 사소한 사건이 추후 예상하지 못한 엄청난 결과나 파장으로 이어진다. 관계가 없는 것 같지만, 하나의 문제는 전체의 문제로 번진다.

가정과도 같다. 한 가정에서 부부가 화목하지 못하고 매일 다툰다고 하면 그 가정이 잘될 수 있겠는가. 그 가정에 평화가 있을 수 있겠는가. 회사 일이 잘될 수 있겠는가. 애들이 공부를 잘할 수 있겠는가. 올바른 길로 나갈 수 있겠는가. 나갈 수 없다. 가정이 안정이 안 되면 회사 일도 안 되고, 자식들은 집보다는 밖으로 돌 것이며 그러다 보니 마약 등 나쁜 유혹으로 빠질 수밖에 없고 가정에 평화가 올 리가 없다. 마찬가지다. 정치 사회가 안정이 안 되고 법도 질서도 없이 혼란스러운데, 사회적 문제가 잘 풀릴 수 없다.

혼돈의 시대는 비정상의 시대다. 정상으로 돌아와야 한다. 그래야 국가도 사회도 가정도 정상이 되고, 사회적 문제도 정상이 된다.

그러나 그날은 분명 온다. 와야만 한다. 지금은 악이 선인 것처럼 우기고 있지만, 언젠가는 반드시 진실과 거짓이 밝혀질 것이고, 정상의 사회로 돌아오게 될 것이다.

43.

참자유인

《대한시니어신문》 칼럼 2024.6.17.

자유란, 사전적 의미에서 외부적인 구속이나 무엇에 얽매이지 아니하고 자기 마음대로 할 수 있는 상태를 말한다.

인간은 육체와 정신으로 구분된다. 그리고 자유를 얘기할 때에는 육체적 자유를 생각하게 된다. 그리고 인간은 사회적 존재이기에 사회적 틀 안에서 생활하지 않으면 안 된다. 사회적 규범이 있고 법과 질서가 있으며 그 안에서 구속을 받을 수밖에 없다. 틀을 벗어나서 자유를 누릴 수는 없다.

그러나 필자가 얘기하고자 하는 것은 정신적 자유를 얘기하고자 하는 것이다. 인간에게 중요한 것은 정신적 자유다. 정신세계를 구속할 수 있는 틀은 없다. 육체도 정신세계를 구속할 수 없다. 모든 사람들은 자신의 정신세계를 구속할 수 있는 것은 아무것도 없다고 얘기하고 있고, 그래서 자신은 자유롭다고 얘기한다.

그런데 그러한 정신세계가 자유롭지 못하고 구속받고 있는 것이다. 구속하고 있는 주체는 바로 자기 자신이다.

근심, 걱정이 정신세계를 구속하고 있고, 건강이 구속하고 있으며, 죽음의 두려움이 구속하고 있고, 물질과 세상적인 것들이 나의 정신을 구속하고 있다. 자유를 빼앗고 있다. 그러한 것들 때문에 정신세계는 자유로울 수 없다. 그래서 힘들어하고 괴로워한다. 그런데 자유로워야 한다. 근심, 걱정이 나를 구속할 수 없어야 하고, 건강이 나를 구속할 수 없어야 하며, 죽음과 물질과 세상적인 것들이 구속할 수 없어야 한다. 그러한 것들로부터 해방될 수 있어야 한다. 그때에 진정한 참자유인이 되고, 진정한 행복을 느끼게 된다.

쌓아 놓은 물질이 행복이 될 수 없고, 건강이 충만하다고 해서 행복이 될 수 없다. 쌓아 놓은 것이 많을수록 또한 욕심과 애착이 클수록 근심, 걱정은 더 커진다. 근심, 걱정에 쌓여 있다면 그것이 바로 구속이다. 욕심과 애착과 근심, 걱정과 두려움의 틀에서 해방될 수 있어야 한다.

그런데 그러한 것들이 의지력으로 선택할 수 있는 것은 아니다. 겸허히 생각해 봐야 한다. 교만의 마음을 버리고 겸허히 생각해 볼 수 있을 때 그때에 구속의 틀을 벗어날 수 있고 자유인이 될 수 있다.

종말론적 삶은 모든 구속으로부터 벗어날 수 있다. 종말론적 삶이란 말 그대로 오늘 하루를 마지막같이 사는 삶이다. 누구나 어차피 그 길을 가야만 하는 삶이기 때문이다. 피해 갈 사람은 없다. 그런데 그것을 망각하고 살고 있기에 욕심을 부리고 그것 때문에 근심, 걱정하게 된다.

종말론적 삶은 욕심이 있을 수 없고 욕심이 없으니 근심, 걱정이 있을 수 없으며 근심, 걱정이 없으니 모든 구속으로부터 자유로울 수 있다.

그래서 종말론적 삶은 두려움도 미움도 아픔도 없다. 오직 아쉬움뿐이다. 아쉬움은 이해와 용서와 사랑의 삶이다. 겸허히 생각해 볼 일이다.

44.

6,292만 원

《대한시니어신문》 칼럼 2024.6.10.

문재인 전 대통령이 회고록을 출간했다. 책이 발표되자 몰랐던 일이 세상에 알려지게 되고, 정치 이슈화되고 있다. 김정숙 여사가 영부인으로서 '첫 단독 외교'라는 말을 안 했어도 묻힐 일이었는데 불씨가 됐다. 인도 측 초청을 받아 정부 대표단을 이끈 사람은 문체부 장관이었고, 김정숙 여사는 '특별수행원' 자격이었으며, 첫 단독 외교도 아니었다. 그런데 그중 김정숙 여사의 인도 방문 중 기내식 비용의 과다 지출이 연일 문제가 되고 있다.

《조선일보》 5.31.~6.3. 자 보도된 내용에 따르면, 김정숙 여사가 전용기를 타고 2018년 11월 4일부터 11월 7일까지 인도 방문 시 전용기 기내식 비용으로만 6,292만 원이 출자됐다고 한다.

그런데 도종환 당시 문체부 장관이 2일 전 결재한 문서에는 문체부 공무원, 청와대 직원 등 19명의 식비로 총 6,184달러(당시 환율로 한화

약 692만 원)가 책정돼 있었다. 692만 원은 전 일정의 식비다.

그렇지만 보도된 내용에는 36명이 왕복 기내식비로만 6,292만 원이 지출된 것이다.

일반 비행기의 경우, 한국~인도 구간에는 기내식이 2차례 제공된다고 한다. 그렇다면 왕복 4차례의 기내식이 제공됐다고 봤을 때, 36명의 4끼 식사 비용이 6,292만 원이 지출됐다고 한다면 1사람의 1끼 식사비용이 약 44만 원 꼴이 지출된 셈이 된다.

여당 쪽에서는 6,292만 원이면 "4인 가족의 5년치 식비가 지급된 것"이라고도 얘기하고 있다.

항공업계 관계자들에 따르면 1등석 기내식은 15만 원 안팎으로 책정된다고 한다. 만약, 김정숙 여사 일행 36명 전원이 한국~인도 왕복 비행에서 1등석 기내식을 4차례 먹었다 하더라도 2,000만 원 남짓 들어간다는 얘기다.

기내식이라는 것이 뻔한 것 아닌가. 상다리가 휘어지도록 진수성찬을 차리는 것도 아니다. 그런데 어떻게 1끼 식사에 44만 원이 나올 수 있는 것인지 납득이 안 간다. 어느 국민이 '그렇구나' 하고 이해할 수 있겠는가.

그러한 가운데 도종환 전 문화체육관광부 장관이 7일 기자회견에서 문제에 대한 설명을 했고, 윤건영 의원은 김정숙 여사의 개인 식사비는 105만 원 정도라고 하며 고정비용이 65.5 %차지한다고 설명했지만, 그럼에도 불구하고 국민들의 의혹은 잦아들지 않고 있다. 한편 대한항공 측은 구체적인 계약 내용을 확인해 줄 수 없다고 하고 있다.

이 일이 여론화되자, 어느 야당 의원은 명예훼손으로 '법적처리하겠다' 하고 있고, 또 어느 야당 의원은 '비싼 밥을 먹은 게 부정과 부패에 연루되는 건 아니다'라고 하고 있다.

당연하다. 명예훼손으로 법적 처리할 문제가 있으면 처리하면 되고, 감정적으로 대응할 일은 아니다. 정당한 예산집행이었음을 이해가 갈 수 있도록 설명하면 되고 또 그렇게 해야 한다. 그런데 '비싼 밥을 먹은 게 부정부패에 연루되는 건 아니라'고 하는데, 그렇다면 연루가 안 된다면 얼마든지 비싼 음식을 먹어도 된다는 것인지 묻고 싶다.

이해가 안 가면 의혹으로 남을 수밖에 없다. 지금까지의 설명으로는 모든 국민들이 쉽게 이해할 수가 없다. 그러니 대한항공 측에서도 확인해 줄 수 있는 부분이 있으면 조속히 확인해 주고, 정당한 일이 의혹으로 남지 않도록 관련자들의 명백한 해명이 있어야 할 것이다.

45.

아픔과 고통의 가치 (1)

《대한시니어신문》 칼럼 2024.6.3.

우리는 살아가면서 많은 시련과 고통과 어려움에 부딪칠 때가 있고, 그리고 그럴 때마다 쉽게 좌절하고 절망할 때가 있다. 그러나 시련과 고통은 중요하다. 살아가는 삶의 한 과정이고, 시련과 고통 없이는 삶의 의미를 알 수 없고 성숙될 수 없다. 마치 운동선수가 금메달을 얻기 위해 힘든 훈련의 과정을 겪는 것과도 같다.

성숙이란 어렵고 힘들고 고통스러운 세상의 삶을 체험하고, 그리고 힘든 사람들의 아픔을 이해할 수 있으며 그래서 서로 믿고 도와주고 아끼며 함께 살아가는 관계로의 성장이 바로 성숙이고 가치의 삶이다.

세상을 살아가면서 중요한 것은 함께 존재하는 대상들과의 공존이다. 다른 사람들의 아픔과 고통과 어려움을 함께 느끼고 나눌 수 있는 공존의 관계가 중요하다.

우리가 먹기만을 위해서 사는 것은 아니지 않는가. 또한 권력과 명예만을 얻기 위해서 사는 것은 아니지 않는가. 함께 나누고 도우며 살아가기 위한 것이 아닌가. 그것이 가장 가치 있고 값진 삶이 아닌가. 성숙이란 어쩌면 많은 사람들의 다양한 어려움들을 이해할 수 있고 함께할 수 있는 것이라 생각된다. 그런데 어려움의 삶을 모르고 아픔의 삶을 이해할 수 없으면서 어떻게 남을 이해하고 도우며 관계를 맺고 함께 살아간다고 할 수 있겠는가.

성숙은 그냥 저절로 쉽게 이루어지지 않는다. 시련과 고통의 아픔 없이는 결코 이루어질 수 있는 또는 얻어질 수 있는 것이 아니다. 지식이 아닌, 체험하고 이해할 수 있어야 한다. 성숙된 삶을 위하여 어떠한 시련과 고통도 받아들일 수 있고 체험할 수 있어야 한다.

시련과 고통은 사람을 겸허하게 하고 깨달음을 줄 수 있지만, 안일과 평안은 나태하게 하고 교만하게 한다. 안일한 것만큼 만족을 느낄 수 없고 그래서 더욱 만족해지려고 욕심을 내게 되고 육체적 쾌락에 빠지게 된다. 그러나 힘들고 어려운 사람은 어려운 것만큼 조그만 것에도 만족할 수 있고 감사함을 느낀다. 그것이 성숙이고 행복이다.

우리는 주변에서 고생을 모르고 살아가는 젊은이들이 실패하는 경우를 많이 본다. 부유한 가정에서 부족한 것 없이 고생 모르고 살아가는 젊은이들이다. 시련과 고통을 모르니 쉽게 마약과 육락에 빠지게 되고 몸과 마음은 병들어 간다. 암흑과 절망의 길이다.

하나의 나무도 시련과 고통이라는 비바람이 없다면 성숙이라는 뿌리를 내릴 수 없고 단단하게 자랄 수 없으며, 모진 비바람이 몰아칠수록 더욱더 깊고 튼튼한 성숙의 뿌리를 내리게 되고 강하게 성장할 수 있지만, 온실 속에서 곱게 자란 나무는 비바람에 견딜 수 없고 결국은 죽거나 쓸모없는 나무가 된다.

값진 가치는 결코 쉽게 만들어지지 않는다. 쉽게 만들어진 가치는 쉽게 무너진다. 삶은 성숙의 과정이고, 그 과정에 시련과 고통이 있으며, 시련과 고통 없이는 값진 열매를 맺을 수 없다. 어떠한 시련과 고통도 참고 견뎌 내야 한다.

46.

이해 불가

《대한시니어신문》 칼럼 2024.5.27.

"절대 술을 마시지 않았다"던 트로트 가수 김호중 씨(33)가 결국 구속됐다.

연일 나오는 뉴스 화면을 보면서 어떻게 저럴 수가 있을까 하는 생각이 든다. 반대편의 택시를 앞바퀴가 번쩍 들릴 정도로 들이받았다. 공황상태인지, 아니면 술에 취한 상태인지 간에 보통 사람들 같으면 당연히 하차하고 수습하는 것이 순서이고 그것이 마땅한 양심이었을 것이다. 그런데 뒤처리는 고사하고 받은 즉시 망설일 겨를도 없이 그냥 방향을 잡고 도주했다. 그것이 김호중 씨의 양심이고 인격이었던 것 같다. 인기가 사람을 그렇게 만드는 것 같다.

그래서 인기는 항상 조심해야 한다.

필자가 하고자 하는 얘기는 비단 김호중 씨의 잘못만을 논하자는 얘기는 아니다. 다만 왜 음주 운전을 하느냐는 거다. 음주 운전을 하지 않았으면 이러한 일도 없을 테고 비판받을 일도 없을 텐데, 이해가 되지 않는다.

지난해 우리나라의 음주 운전 사고는 1만 5,059건으로 사망자수는 214명이고 부상자수는 2만 4,261명이라고 한다. OECD 국가 중 10만 명당 교통사고 사망자 수는 8위에 달한다.

또 경찰청 통계에 따르면 음주 운전 재범률은 2018년에 51.2%, 2019년 43.7%, 2020년 45.4%, 2021년 44.5%, 2022년 42.2%로 나타나 10명 가운데 4명 이상이 다시 술을 마시고 운전대를 잡고 있음을 보여 주고 있다.

물론 법을 몰라서 음주 운전을 하는 사람은 없다. 그런데 법을 잘 알면서도 왜 굳이 음주 운전을 하는 건지. 음주 운전을 해서 얻는 것은 없고 잃는 것뿐인데, 왜 음주운전을 하는 건지 모르겠다. 사회적 유명인들이 더욱 그렇다. 그들은 경제적으로도 여유 있고 지위가 있는 사람들인데 술을 마시고도 대리운전을 하지 않는다. 사고가 나면 자신은 물론이고 타인에게까지 정신적 육체적 손상은 물론이고 경제적 손실, 또는 사회적 지탄은 뻔한 일인데, 또 적발이 안 된다는 보장도 없는데, 법으로 하지 말라고 하는 행동을 굳이 한다.

김호중 씨 같은 경우도 돈이 없어서 대리운전을 안 한 것이 아니지 않는가. 아니면 법 같은 것은 무시해도 된다는 것인지, 아니면 법망에서 빠져나갈 자신이 있다는 건지, 아니면 팬덤의 힘을 믿고 그러는 건지 모르겠다는 얘기다.

음주운전을 해서 안 되는 이유는 음주로 인하여 책임능력(責任能力)이 결여되거나 미약(微弱)한 상태에서 운전함으로써 사고를 유발할 위험성이 크기 때문이다.

음주 운전을 하지 않았다면 모든 것을 그대로 다 가지고 있을 텐데, 음주 운전을 함으로서 가지고 있던 모든 것들을 또는 생명까지도 한 순간에 다 잃게 된다. 그러니 이보다 더 큰 어리석은 행동은 없다.

만약 김호중 씨가 음주 운전을 하지 않았다면 그는 지금, 예전 그대로 하나도 잃은 것 없이 다 가지고 누리고 있을 것이다. 비판받을 일도 없고, 콘서트도 잘하고 있을 것이고, 팬들로부터의 사랑도, 국민들로부터의 인기도 그대로 다 누리고 있을 것이다. 그런데 한순간에 모두 날아가 버렸다. 음주 운전을 하는 순간에 모두 다 잃어버렸다. 더욱이 대중들로부터의 인기가 그를 교만하게 만들었고, 교만이 판단력을 흐리게 해 보통 사람들은 쉽게 할 수 없는 도주까지 했다. 그는 지금 구속돼 있다. 음주 운전과 교만이 부른 산물이다. 바보스러움이다.

현행 '도로교통법' 제44조는 술에 취한 상태에서의 운전을 금하고 있으며, 술에 취한 상태를 혈중알코올농도 0.03% 이상인 경우로 하고 있다(제4항).

법은 사회적 약속이다. 자신을 위하고 타인을 위해서도 법은 반드시 지켜져야 하고, 음주 운전은 해서는 안 된다.

47.

종교

《대한시니어신문》 칼럼 2024.5.20.

우리는 보통 여러 사람들이 모이는 곳에서는 정치나 종교 얘기를 하지 말라고 경고한다. 이유는 사람마다 살아온 환경이 각각 다르고 추구하는 가치가 다르기에 생각이 같을 수 없고 그러기에 다툼이 생길 수 있기 때문이다. 그러나 필자가 하려고 하는 얘기는 어느 특정 종교를 선교하려고 하는 것이 아니라, 인간과 종교와의 관계를 얘기하려고 하는 것이다. 즉 인간에게 종교가 필요하냐 필요하지 않느냐 하는 얘기다.

1950년쯤 필자가 어릴 적 초등학교 시절의 얘기다. 뜬소문이었지만 고향 읍내에 전방에서 군인들이 물을 잘못 먹어서 문둥병(한센병)에 걸렸고 그 사람들이 동네에 많이 들어왔다는 얘기다. 그리고 그들이 어린애들의 간을 빼먹는다는 소문이 퍼졌다.(물론 근거 없는 낭설이었다) 그래서 그때부터 어린 나이지만 죽음을 생각하게 됐다. '그들이 나의 간을 빼 먹는다면, 그럼 나는 죽어 땅속에 묻히게 될 것이고, 그럼에도 불구하고 나와는 상관없이 땅 위에서는 무한한 시간이 흘러갈 것이다. 그렇다면 끝없이 흘러가는 그 시간의 끝은 무엇인가' 하는 생각이 들게 됐고 그 무한의 시간을 생각하게 되면, 정신이 아찔해지고 두려워지는 것이다. 끝없이, 끝없이 흘러가는 무한한 시간의 끝은 무엇인가가 나를 두렵게 했고 힘들게 했다. 그것은 땅속에 묻혀 있는 내가 그것을 의식하든 의식하지 않든 문제가 되지 않는 것이다. 그래서 그때부터 나 자신의 존재를 생각하게 됐고, 절대자를 생각하게 되었으며 종교를 생각하게 됐다. 그런데 이상한 것은 어린 나는 그런 상황이 괴롭도록 두려운데, 같이 앉아 식사를 하는 부모, 형제들은 아무렇지도 않은 듯 맛있게 식사만 잘하고 있는 것이다. 이해가 되지 않았다. 세상도 마찬가지였다. 모든 사람들은 아무렇지도 않은 듯 그냥 열심히만 살아가고 있는 것이다. 생각도 고민도 하지 않고 종교 같은 것은 있어도 없어도 되는 것처럼, 필요에 의해서 선택할 수도 있고 안 할 수도 있는 것처럼 생각하기도 한다. 마치 슈퍼마켓에서 물건을 고르듯이, 맘에 들지 않으면 다른 것으로 바꾸기도 하고 또 구매하지 않아도 되는 것처럼 생각도 한다.

많은 종교 중 어느 종교를 선택할 것인지, 또는 종교를 믿으면 복을 받을 것인지 등의 문제는 이차적인 문제다. 종교에 대해서 논쟁하지 말라고 하는 얘기도 바로 어느 특정 종교에 대해서 얘기할 때에 하는 말이다. 문제는 종교가 필요하냐 필요하지 않느냐의 얘기다.

그런데 우리 인간들은 겸허히 생각해 볼 필요가 있다. 인간의 존재를 생각할 수 있고 죽음을 생각할 수 있으며 무한의 시간과 무한의 공간을 생각할 수 있다면, 인간은 겸허해질 수밖에 없고 그래서 종교를 생각할 수밖에 없는 것이 아닌가 하고 생각된다. 물론 종교를 과학적으로 분석 설명할 수는 없다. 그렇다고 해서 또한 종교는 필요 없는 것이라고 확정지어 설명할 수도 없다. 인간이 아는 것은 없다. 아무것도 없다. 시작도 모르고 끝도 모른다. 그러기에 죽음이 삶의 끝이라고 막연히 얘기할 수도 없다. 모르니까 그냥 살다 가면 되는 것이 아니라, 모르니까, 아는 것이 없으니까 종교를 생각하는 것이 아니냐는 얘기다.

숲속의 집 한 채가 지은 사람을 모른다고 해서 그냥 존재한다고 얘기할 수 없듯이, 나의 존재 또한 모른다고 해서 그냥 존재한다고 얘기할 수 없다. 모르는 것을 임의로 결론짓는 것은 위험한 일이다. 그래서 생각해 봐야 한다. 종교에 대해서 말이다. 왜냐하면 종교가 필요하다고 생각하는 사람과 그렇지 않은 사람은 살아가는 삶의 가치와 목표가 다르고, 살아가는 과정과 방법이 또한 다르기 때문이다.

48.

공직
세습

《대한시니어신문》 칼럼 2024.5.13.

감사원이 선거관리위원회에 대한 감사 중간 결과를 발표했다. 보도에 따르면 지난 10년간 291차례 진행한 경력직 공무원 채용 전부에서 비리와 규정 위반이 드러났고, 적발된 비리가 1,200여 건이라고 한다. 전 · 현직 직원의 자녀가 21명이 합격했고, 이 중 12명은 부정하게 채용됐다. 전 사무총장 아들을 뽑으려고 없는 자리를 만들고, 면접관은 '아버지 동료'들로 구성했으며, 합격한 아들에게 규정도 없는 관사까지 제공해 줬다. 다른 전 총장의 딸은 면접위원에게 '빈 점수표'를 제출하게 한 뒤 점수를 조작했고, 전 사무차장의 딸도 채용 공고 없이 특정인의 지원만 받는 인사를 통해 원하는 자리를 얻었다고 한다. 감사원은 전직 중앙선관위 사무총장 등 전현직 49명을 검찰에 수사 의뢰했다.

보도된 기사를 읽으면서 어느 나라 공무원들의 얘기인지 꿈같은 얘기를 듣는 것만 같다.

어이가 없는 일이다. 북한 독재 체제하에서나 아니면, 절대 왕정시대에나 있을 수 있는 일이 벌어졌다. 어떻게 현재 대한민국에서 이런 일이 일어날 수 있는 건지 기가 막힌다. 필자도 평생을 공직자로 생활해 왔다. 그러기에 공직사회에 대해서는 누구보다도 잘 알고 있다. 이러한 일은 있을 수 없는 일이다. 물론 공직사회에 비리가 전혀 없다는 얘기는 아니다. 그러나 이렇게 없는 자리를 만들어 세습시키고 규정에도 없는 관사를 만들어 주고 면접관을 아버지의 친구들로 구성하고, 또 점수표를 공란으로 제출토록 하여 점수를 조작했다고 하니 공직사회가 아니라 사기집단과 다를 것이 없는 것이다. 무엇보다 '헌법상 독립기구'임을 내세워 설립 후 60여 년 동안 단 한 번도 감사원의 직무 감찰을 받지 않았고, 비리의혹이 드러났는데도 자체 감사를 통해 면죄부를 줬다고 하니 놀랍기만 한 일이다.

그런데 이 문제는 구조상의 문제도 있다. 선관위는 국가공무원법 17조2항에 의거, '국회, 법원, 헌법재판소 및 선관위의 소속 공무원의 인사 관련 감사는 각 기관에서 한다'에 근거하여 감사원 감사를 거부하고 있고, 반면 감사원은 감사원법 24조 3항에 따라 직무감찰에서 제외될 수 있는 공무원은 국회, 법원 및 헌법재판소 소속 공무원으로만 규정되어 있어 선관위는 직무감찰 대상이라고 서로 주장하고 있는 가운데, 그동안 국회 국정감사에서도 아무 잘못도 문제점도 발견하지 못해, 결국 조직은 60년 동안 감사원 직무감찰 한 번 안 받고 엄청난 부정부패의 온상이 되고 만 것이다. 그 책임은 어디에 있는가.

물론 그럼에도 불구하고 고발 조치된 관련 공무원들의 사법처리는 면할 수 없다.

그러나 구조상에 문제가 있다 하더라도 공무원은 공무원법상 지키지 않으면 안 될 의무와 책임이 있다. 그런데도 아직도 이렇게 정신 못 차리고 있는 공무원들이 있다는 것이 오히려 신기할 따름이다. 바로 선거관리 임무를 공정하게 수행해야 할 책임 있는 공무원들이다.

감사는 처벌하기 위한 감사보다도 예방을 위한 감사가 더 중요하다. 그러므로 예측하지 못하고 예방하지 못한 잘못은 더 큰 잘못이 아닐 수 없다. 이번 일을 계기로 다시는 이와 같이 부끄러운 일이 재발하는 일이 없도록 일벌백계해야 할 것이고, 구조상의 문제점도 조속히 보완 조치해 나가야 할 것이다.

49.

불우한 사람이 아니라,
부러운 사람이다

《대한사회복지신문 칼럼》 2024.5.27.

선교사 겸 간호사로 전남 목포에서 명도복지관 등 장애인 시설을 운영하는 아일랜드 출신 제라딘 라이언 수녀(76)가 언론에 소개됐다. 그는 이제 "내 고향은 목포"라고 말할 정도로 한국 사람이 됐고, 목포 지역 장애인과 그 가족들을 돌보며 인류애를 실천한 공로로 호암상(삼성호암재단) 사회봉사상 수상자로 선정됐다.

소개된 기사를 읽으면서 그분이 한 말이 공감돼 얘기하는 것이다.

라이언 수녀는 '장애인들은 불우한 사람이 결코 아니다'라고 하며, 그들은 '부러운 사람'이라고 말한다. 장애인들은 싸우다가도 다시 포옹하고 '사랑해'라고 말하기까지 1분이면 되지만, 보통 사람들은 그렇지 못하다는 얘기다.

관련해서, 필자가 하려고 하는 얘기도 단순히 위로하기 위해서 하는 말이 아니라, 라이언 수녀의 '장애인은 결코 불우한 사람들이 아니라,

부러운 사람들'이라는 말에 전적으로 공감하기 때문이다. 조금이라도 도움이 될 수 있다면, 필자로서는 자랑스럽지 않은 얘기지만 거리낌 없이 하는 것이다.

필자가 경제적으로 어려운 때가 있었다. 60대 후반쯤 될 때다. 새벽 5시면 검은 작업복을 입고 강남 지역 어느 전철역 출구에서 몇 년 동안 일한 때가 있다. 무료일간홍보지(메트로, 포커스 등)를 배부하는 일이다. 각 출입구에 배포대를 설치해 놓고 뛰어다니며(경쟁) 홍보지를 올려놓고, 사람들이 다 가져가면 또다시 올려놓기를 반복하는 일이다. 비가 오면 비가 오는 대로, 눈이 오면 눈이 오는 대로 눈비를 맞으며 일한다. 길에 걸려 넘어지기도 하고, 폐지로 가져가려는 젊은 사람들과 멱살 잡고 싸우기도 여러 번 했다. 당시 나의 삶은 부정적이었고 도전적이었다. 일 자체를 비하하는 말은 아니지만 평생 동안 이런 일은 해 본 적이 없다. 물론 하는 사람이 따로 있다는 얘기는 아니지만, 당시 나의 삶의 상황이 그러했었다. 그래서 유니폼을 입고 두터운 모자를 눌러쓰고, 코로나 이전임에도 불구하고 마스크를 쓰고 일을 한다. 혹시 아는 사람이 지나간다고 해도 얼굴을 알아볼 사람은 없다. 작업시간이래야 3시간 정도, 받는 돈은 겨우 월 30만 원이다. 먼동이 틀 무렵이면 일이 거의 끝난다. 한겨울임에도 모자를 쓴 이마와 등줄기에는 땀이 흐른다. 그런데 그때에 느낀 것이 있어서 하는 얘기다.

70을 바라보는 나이에 삶은 부정적이었고, 피곤하고, 부끄럽고, 절망스러웠다. 그런데 이상하게도 전혀 그러한 생각이 들어가지 않았다. 신비스러웠다. 마음이 가벼웠고 편안했고 평화를 느꼈다. 부끄럽거나 절망감 같은 것도 느껴지지 않았다. 역설적이지만 비참했지만 비참하다는 생각이 들지 않았고, 선택된 느낌이었고, 그리고 감사함을 느꼈다. 진정 감사함을 느꼈다. 인간의 생각대로라면 부요하고 건강하고 부족함이 없을 때 그때에 만족하고 평화로울 수 있다고 생각할 수 있는데, 그런데 그것이 물질과 건강과 세상적인 것과는 상관이 없다는 것을 알게 되었다.

평화와 행복은 반드시 물질이 풍요로울 때가 아니고, 권력이 있을 때가 아니며, 건강할 때가 아니라, 몸이 불편할 때, 병들어 아플 때, 가난할 때, 절망스러울 때, 텅 비었을 때, 그때에 진정한 마음의 평화와 행복과 만족을 느낄 수 있고, 신(神)이 버렸다고 생각 될 때에 신(神)을 느낄 수 있게 된다. 신비스러움이다. 자위하려는 말이 아니다.

몸이 불편하다는 것은 불공평한 것이 아니고, 버림받은 것이 아니며 그래서 쓸모없는 것이 아니라, 분명한 이유와 목적이 있는 것이다. 삶은 공평하다. 신(神)은 모든 삶에 대하여 한 치의 오차도 없이 공정하다. 머리가 좋으면 노래를 잘 못 부르고, 달리기를 잘하면 공부를 잘 못한다. 몸이 불편하다는 것은 또 다른 큰 이유와 보이지 않는 가치가 있다는 것이다. 역사적으로도 불편한 몸으로 아니, 불편했기 때문에 불편하지 않은 사람들 이상으로 성공한 영웅들이 얼마든지 많다.

삶은 공정하다. 눈에 보이는 차이가 있을 뿐, 보이지 않는 차이가 있다는 것도 알아야 한다. 그래서 공정한 것이다.

라이언 수녀의 '불우한 것이 아니라 부러운 것'이라고 한 말은 진정 맞는 말이고, 필자는 그 말에 전적으로 공감하는 것이다.

50.

한동훈 특검법

《대한시니어신문》 칼럼 2024.5.7.

5월 30일부터 새로 선출된 22대 국회가 시작된다. 사람은 누구든지 새로운 일을 처음 시작할 때에는 잘하겠다는 희망적인 각오를 다짐한다. 국회의원들도 마찬가지다. 표현은 안 하더라도 국민들을 위해서 보람 있고 가치 있는 일을 해야겠다고 다짐할 것이다. 그것이 당연한 것이다. 그런데 어느 한 사람은 임기도 시작하기 전부터 첫 마디가 '한동훈 특검법'을 만든다고 벼르고 있다. 국회의원이 되어서 역사에 남길 첫 번째 할 일이 특검법 만드는 일이라고 한다.

'국회의원은 헌법을 준수하고 국가 이익을 우선으로, 양심에 따라 성실히 직무를 수행해야 하고 국민의 자유와 복리의 증진 및 조국의 평화적 통일을 위해 노력해야 한다.'라고 돼 있다. 한마디로 국가와 국민을 위해서 일해야 하는 것이 국회의원이다. 그리고 국민들은 새로 시작되는 국회에 대해 관심과 기대를 가지고 있고, 무엇인가 좀 더 발전적이고 건설적이며 좀 더 희망적인 삶을 기대하게 되는 것이다.

그런데 시작부터 국민에게 비전과 희망을 주는 것이 아니라 불안과 불편을 준다. 정쟁이 아니라 전쟁을 선포하는 것과 같다. 누가 듣더라도 보복성 발언으로밖에 들리지 않는다. 보복할 기회가 왔다는 것인가. 국회가 혈투의 장이라도 된다는 것인가. 이해 불가다.

'두 번째로 특검의 대상은 검찰 수사의 공정성을 기대할 수 없거나 수사가 공정하게 이루어졌다고 볼 수 없는 사건에 대하여 특별 검사에게 수사권을 맡기는 제도다.' 다시 말해 검찰의 수사가 어렵다고 여겨지는 사건에 한하여 특별 검사에게 수사권을 주는 제도다.

그동안 국민들은 특검하면 중대한 범죄로서 수사기관에서 공정하게 수사할 수 없을 경우에 한하여 특검을 하는 것으로 알고 있다. 그런데 국민들의 고개를 갸우뚱하게 만든다. '한동훈이 무엇을 잘못했는지? 무엇을 잘못해서 수사기관에서 공정하게 수사할 수 없어서 특검을 하자는 건지' 하고 생각할 것이다. 물론 특검에 예외가 있을 수는 없다. 그러나 한동훈에 대해서 어떤 검찰 수사가 이루어졌고, 그 결과가 어떠했는지에 대해 들어 본 적이 없다. 그런데 갑자기 무슨 특검을 하자는 건지. 내가 당했으니까 같이 한번 당해 보라는 것인지. 이해가 안 된다.

세 번째로 특검법은 발의할 사람이 발의해야 한다. 몇 년 동안 온통 나라를 시끄럽게 했던 대표적인 사람이다. 자녀 입시 비리와 청와대 감찰 무마 등 혐의로 지금도 진행 중에 있는 사건이고, 파렴치 범죄로 2심까지 징역형을 받은 사람이다. 억울하다며, 심판 받는 사람이 당(黨)을 만들고 현 정권을 심판하겠다고 한다. 억울할 수는 있겠지만 혼자만의 생각이다. 여의도의 잣대로는 억울할 수 있겠지만, 일반 국민들의 기준에서 본다면 자신의 한 일이 더 부끄럽고 파렴치한 잘못된 범죄 행위임을 알아야 한다.

보통 사람들은 자신의 잘못이 있으면, 다른 사람의 더 큰 잘못이 있다 하더라도 감히 할 말을 할 수 없고 침묵하는 것이 보통사람들의 생각이고 상식이다. 그런데 어떻게 자신의 잘못은 전혀 생각하지 않은 채 남을 심판하겠다는 건지 알 수가 없다.

국민들은 답답하다. 국회가 국민들을 위해서 일하는 곳이 아니라, 어쩌다가 자신들 보복 혈전의 장소가 되었는지, 왜 이렇게 됐는지. 국회를 바라보는 국민들의 마음은 답답하고 불안하기만 하다.

51.

집착과 망각(忘却)

《대한시니어신문》 칼럼 2024.4.29.

이제 잠깐 숨을 돌리고 생각해 보자. 우리 인간들은 참 바쁘게 살아가고 있다. 정신을 차릴 수 없도록 바쁘게 살아간다. 때로는 이것이 잘 살고 있는 것인지 하는 생각이 들어갈 때도 있다. 지구촌 곳곳에서의 전쟁과 질병과 기아와 아사(餓死)와 마약, 정치적 갈등과 각종 사건 사고 등 숨 돌릴 시간 없이 살아가고 있다. 그래서 이렇게 살아가고 있는 것이 인간들 본연의 모습대로 잘 살아가고 있는 것인지 생각해 보는 것이다. 이제 잠시 숨을 멈추고 생각해 보자.

인간들에게는 두 가지의 사실이 있다. 삶과 죽음이다. 그런데 현실에만 너무 집착하고 매몰되어 살아가는 것은 아닌지. 또 하나의 다른 사실이 있다는 것을 망각한 채 영원히 살 것처럼 미워하고 갈등하고 저주하며 이기적으로만 살아가는 것은 아닌지 생각해 본다.

우리 주변에는 지금 이 순간에도 많은 사람들이 죽어 가고 있고, 그래서 항상 죽음을 의식하며 살아가지 않을 수 없다. 그렇지만 그러한 죽음에 대해서 그렇게까지 절박함을 느끼지 못하는 이유는, 죽음을 막연히 나의 죽음이 아닌, 남의 죽음으로만 생각하고 있기 때문이다. 그러나 때로는 '그래, 내게도 죽음은 언제 올지 모르지, 오늘이 될 수도 있고 내일이 될 수도 있지'라고 말은 해 보지만 그러나 역시 현실이 아닌 막연한 미래를 생각할 수밖에 없기에 절박함을 느낄 수 없다.

그런데 언제 올지 모르는 죽음에 대해서 막연히 상상만 해 보는 것이 아니라 '주어진 삶의 시간을 다 살아서 분명하고 확실하게 닥쳐올 죽음 앞에 지금 막 다다랐다'고 생각해 보거나, '지난 삶의 시간들이 분명 나의 곁을 지나간 것처럼, 닥쳐올 죽음의 시간도 분명히 그리고 확실하게 지금 막 내 앞에 다다랐다'고 생각해 본다면, 죽음에 대해 좀 더 절박하게 느껴짐을 체험하게 된다.

그런데 혹, 살기도 바쁜데 죽음까지 뭘 그렇게 생각할 필요가 있느냐고 얘기할 수도 있다. 그러나 그렇다고 해서 언젠가는 나에게 확실하게 닥쳐올 죽음이 나의 일이 아닌, 남의 일인 양 생각하며 살아갈 수만은 없지 않은가. 살아가는 것도 사실이지만 죽음 또한 피할 수 없는 현실이다. 그러한 죽음을 얼마나 또 어떻게 생각하고 느낄 수 있느냐에 따라서 삶을 온전히 인식할 수 있고 아닐 수 있으며, 삶의 의미와 가치가 달라질 수 있고 살아가는 방법과 과정에 있어서도 차이가 있을 수 있다.

죽음의 사실을 조금이라도 생각할 수 있다면, 삶에 대한 생각들이 달라질 수 있다.

우리 모두는 어쩔 수 없이 잃어버려야 할 삶들이고, 버려야 할 삶들이다.

그럼에도 불구하고 우리는 전사(戰士)들처럼 살아간다. 죽이고 죽임을 당한다. 영원한 권력을 쥐기 위해, 또한 영원한 명예와 부를 쥐기 위해 싸운다. 그렇다고 현실을 무시하자는 얘기는 아니다. 오직 죽음이라는 사실을 망각한 채, 현실에 매몰돼 피를 튀기며 싸운다는 것이 안타까운 것이다. 죽음의 사실을 생각할 수 있다면, 삶의 끝을 생각할 수 있다면 그렇다면 그래도 조금은 서로 이해할 수 있고 양보할 수 있고 협조하며 아쉬워하고 사랑하며 살아갈 수 있는 것은 아닌지, 아니 그렇게 살아가야만 하는 것은 아닌지 하고 생각해 보는 것이다. 현실에만 집착하는 어리석은 삶이 되어서는 안 되고, 죽음을 망각하는 바보 같은 삶이 되어서도 안 되며, 나만을 위한 이기적인 삶이 아닌, 가끔은 그래도 남을 생각하고 위할 수 있는 삶이 되어야 되지 않을까 하는 생각을 해 보는 것이다.

52.
대통령의 오해

《대한시니어신문》 칼럼 2024.4.22.

총선 이후 윤석열 대통령에 대한 독선과 독단과 불통에 대한 비판이 나오고 있다. 한국갤럽이 지난 16~18일 4월 3주 조사에서 윤 대통령 국정 수행 긍정 평가는 직전인 3월 4주보다 11%포인트 떨어진 23%로 나타났고, 반면 부정 평가는 68%로 10%포인트 올랐다. 또한 국민들은 이번 총선을 거치면서 대통령에 대한 위기의식을 느끼고 있다.

(한국갤럽)

"윤 대통령의 국정 스타일이 바뀌어야 한다는 지적이 있는데 그의 경험과 경력에 한계가 있는 만큼 그의 성격과 태도를 바꾸는 것이 그리 쉽고 간단하지 않다는 점이다. 용산 쪽에 있었던 사람들의 말을 들어 보면 윤 대통령이 너무 독선적이고 독단적이고 자의적인 경우가 종종 있다고 말한다. 자기가 옳다는 생각이 강하고 자신의 지식과 선의가 통한다고 믿는다는 것이다."

(2024.4.16.일 자《조선일보》)

대통령의 독선과 독단을 성격으로 규정하고 있고 그래서 바꾸기가 쉽지 않다고 얘기하고 있는 것이다. 그러나 필자는 성격보다는 신념과 의지력의 표현이라고 생각한다.

그런데 그 신념과 의지력이 독선과 독단이란 프레임에 걸려 대통령의 발목을 잡고 있는 것이다.

윤석열 대통령은 공직자 출신이다. 평생을 공무원이라는 조직 속에서 생활해 왔다. 조직 속에서는 무엇보다도 리더의 신념과 의지력이 중요하다. 리더의 의지력에 따라서 조직이 성공하느냐 아니냐가 결정 된다. 왜냐하면 조직은 법(法) 안에 존재하고 있고 상명하복(上命下服)의 관계에 있기 때문에 리더의 의지력만 있으면 어떠한 일도 해낼 수가 있다.

여기에 대통령의 오해가 있는 것이다. 대통령의 자리는 그렇지가 않다. 대통령의 자리는 신념과 의지력만으로 할 수 있는 자리가 아니다. 상명하복이 아니라 설득과 이해의 자리다. 야당이 있고, 반대 의견이 있고, 끌어 내리고 밟고 올라서려는 세력들이 있다. 그런데 그런 상황에서 소통과 대화와 설득과 이해 없이 강한 의지력만 가지고 밀어붙일 수 있는가 하는 것이다. 할 수 없다. 불가능 하다. 물론 신념과 의지력은 매우 중요하다. 신념과 의지력이 없이는 아무 일도 해낼 수 없다. 그러나 지금은 프레임 전쟁시대다. 할 수만 있다면 상대방에게 어떠한 프레임이라도 씌워 끌어내리려 한다. 필자는 칼럼을 통해서 지혜에 대해 여러 번 강조했다. 신념과 의지력은 지혜란 바탕 위에 있을 때에만 성공할 수 있다.

재목이 좋다고 해서 좋은 집이 지어질 수 있는 것이 아니다. 재목도 중요하지만 집을 짓기 위한 기초가 있어야 한다. 소통과 설득과 이해의 기초가 있어야 한다. 윤석열 대통령은 처음부터 그런 기조로 정책을 이끌어 왔어야 했다. 그런데 그러지를 못했다. 그래서 국민을 위한 정책들이 독선과 독단과 오만으로 비춰지고 그것이 프레임에 갇혀 발목이 잡히고 만 것이다. 안타깝다. 정치는 소통과 대화의 기술이다. 공중누각을 지을 수는 없다. 대책이 보이지 않는다.

53.

화합해
나가야 한다

《대한시니어신문》 칼럼 2024.4.15.

이번 총선은 지역구에서 민주당이 161석, 국민의힘이 90석을 얻었다. 두 정당이 실제 득표한 수는 민주당이 1,475만 8,083표, 국민의힘이 1,317만 9,769표로 표차는 157만 8,314표다. 득표율로는 50.45% 대 45.05%로 득표율 차는 5.4%포인트이지만 당선자 수는 두 배 가까이 된다. 승자 독식인 소선거구제이기 때문이다.

이제 총선은 끝났다. 새로운 마음으로 시작해야 한다. 그동안 있었던 정당 간의 모든 의혹과 미움과 증오와 갈등들은 다 털어 버리고 새롭게 출발해야 한다. 정쟁은 전쟁이 아니다. 전쟁의 목적은 무력을 사용하여 상대를 정복하는 것이지만, 정쟁의 목적은 공동체를 위한 최적의 안을 선택하는 과정이다. 전쟁이 돼서는 안 된다.

대통령은 무엇이 부족했는지를 깨닫는 계기가 돼야 한다. 물론 자유, 인권, 공정, 연대의 가치는 무엇보다도 중요한 가치다. 그러나 거기에 지혜가 있어야 하고 기술이 있어야 한다. 지혜가 없이는 마치 좋은 재목을 가지고 기초 없이 집을 짓는 거와 같다. 오늘의 현실을 겸허히 받아들이고 최선을 다해야 한다. 물론 가는 길이 이제보다도 더 어렵고 힘들 수도 있다. 그럼에도 불구하고 천명(闡明)한 정책들이 흔들림 없이 추진돼야 한다. 정책은 찬성만 있는 것이 아니라, 반대 의견도 있다. 통합하는 것이 정치다. 반대하는 국민만 있는 것이 아니라, 찬성하는 국민도 있다는 것을 잊어서는 안 된다.

45.05%로 패한 국민의힘은 졌다고 절망할 필요는 없다. 상대는 적이 아니라 하나의 공동체다. 선거는 공동체의 필요한 최적의 안(案)을 찾아내는 과정이고, 이제 그 최적의 안이 확정된 것이다. 그렇다면 다른 이유가 없다면 맘에 들든 안 들든 최적의 안에 승복해야 한다. 그것이 민주주의다.

아울러 50.45%로 이긴 민주당은 50.55%의 다른 생각을 가지고 있는 국민들이 있다는 것도 잊어서는 안 되고, 적이 아니라 한 배를 탄 공동체라는 것 또한 잊어서는 안 된다. 패자의 아픔에 공감할 수 없는 승자는 진정한 승자가 아니고, 승자라고 자만하는 자는 어리석은 자다. 나의 잘못과 내가 지은 죄에 대해서는 누구보다도 나 자신이 잘 안다. 그럼에도 불구하고 선택된 것에 대해 감사하고 국민만을 지향해 봉사해야 한다. 그런데 어느 사람은 승자가 되자마자 상대방에 대한 보복부터 하겠다고 공언하고 나선다. 주먹을 불끈 쥐고 증오와 적개심에 가득 찬 눈빛이다. 무섭다기보다는 헛웃음이 나온다. 그런 양심이 어디서 나올 수 있는지. '뭐~ 한 사람이 큰소리친다'고는 하지만, 국민들이 웃고 있다는 것을 알아야 한다. 세상이 잘못돼도 한참 잘못돼 있다. 지혜가 없는 사람이다. 지식인이 꼭 지성인은 아닌 것이다.

그런데 차제에, 얘기했듯이 소선구제에 대한 이견이 있다.

득표율 차는 5.4%인데 당선자 수는 두 배 가까이 된다. 지역구마다 국회의원 1명을 뽑는 현행 소선거구제는 단 1표만 이겨도 승자가 된다. 그렇다면 1등 후보를 선택한 이외의 절반에 가까운 국민들의 표는 무의미한 것이 된다. 국민 뜻의 반영이라고 볼 수 없다. 이러한 구조는 여야와 지지자 간 극한 대립과 갈등을 부르게 되고, 모두에게 해로울 뿐이다. 소선거구제의 문제점에 대해서도 생각해 볼 필요가 있다.

'화(火)를 품어도 해가 떨어질 때까지 품지 말라'는 말이 있다. 자성의 마음으로 화해와 협조해 나가야 한다. 그렇지 않으면 그 마음 그 표정 그대로 자신에게 다시 화(禍)가 되어 돌아온다는 것을 알아야 한다.

새로운 마음으로 출발해야 한다. 쉬운 일은 아니다. 그러나 가능하다. 다시 한 번 생각해 보자. 한배를 탄 공동체다. 승자가 어디 있고 패자가 어디 있으며, 승자라고 생각한다면 착각이다. 우리는 서로 이해할 수밖에 없고, 용서할 수밖에 없으며, 사랑할 수밖에 없는 존재들인 것을 잊어서는 안 된다. 대한민국이란 공동체를 위해서 화합해 나가야 한다.

54.

답(答)해야 한다

《대한시니어신문》 칼럼 2024.4.8.

윤석열 대통령은 4월 1일 의대 증원 문제에 대해 51분에 걸쳐 대국민 담화를 했다. 늦은 감은 있으나 시종 진지하고 간절한 호소를 했다. 많은 국민들 또한 다 그렇게 느꼈을 것이라고 생각된다. 원고지 70장 분량의 담화 상당 부분을 의료 개혁에 대한 이유와 증원 2,000명 산출 근거와 당위성에 대해서 상세히 설명했다. 의료계에 대해선 '과학적 근거를 갖고 통일된 안을 제시하면 언제든지 논의할 수 있다'고 했고, 의 · 정 갈등 해결을 위해 국민이 참여하는 3자 대화체 구성도 제안했다.

그러한 가운데 4월 4일 오후에는 대한전공의협의회(대전협)박담 비상대책위원장과 면담을 가졌다. 전공의들이 사직서를 내고 현장을 떠난 지 45일 만이다. 하지만 증원 문제에 대해서는 입장 차를 좁히지 못했다. 박 위원장은 2,000명 증원을 백지화한 뒤 원점에서 재검토하자고 했고, 윤 대통령은 '의대 증원은 국민 요구에 따른 의료 개혁 과제'라는 점을 들어 어려운 점을 표시했다.

박 위원장은 면담 직후 자신의 소셜미디어에 '대한민국 의료의 미래는 없습니다'라고 썼고, 면담 결과에 대해 부정적인 입장을 밝혔다. 그는 면담 전 내부 공지에서 '의대 증원과 필수 의료 패키지 전면 백지화'라고 했고, 또 '요구안 수용이 안 되면 원래 하던 대로 다시 누우면 끝'이라고도 했다. 그런가 하면 앞서 대한의사협회 임현택 차기 회장 당선인은 '의사에 나쁜 프레임을 씌우는 정치인들에 대해선 낙선 운동을 펼치겠다'고 하고 '국회 20~30석 당락이 결정될 만한 전략을 갖고 있다'고도 했다. 그러면서 대화 전제 조건으로 '대통령의 직접 사과'가 필요하다고 주장도 했다.

국민들은 그래도 이번 기회에 일말의 기대를 가지고 있다. 그런데 박 위원장의 말대로 정말 '대한민국의료의 미래는 없다'라는 말이 맞는 것 같다. 의료계의 입장이 아닌, 국민들의 입장에서 볼 때 의료계에 거는 기대와 희망이 보이지 않고 암담하다는 생각이 들어간다. '의견 수용이 안 되면 원래대로 다시 누우면 된다'고 하고 있고, '20~30석은 당락시킬 전략이 있다'고 하며, 대화조건으로 '대통령의 직접 사과'를 주장하기도 한다. 그러면서 대안도 제시하지 않으면서 무조건 증원 철회 주장만 하고 있다.

대화조건으로 대통령의 사과를 요구하고 있는데, 무엇을 사과하라는 건지 내용이 없다. 대통령이 무엇을 잘못했는지, 국민 수에 비해 의사 수가 적어 의대증원을 하겠다는 것이 잘못이라도 되는 것인지, 그렇다면 숫자는 대화로 조정하면 되는데, 대화의 전제 조건이 '사과'라고 하니, 상식적이라는 생각이 들지 않는다.

의사들은 자타가 인정하고 싶은 지성인들이다. 그런데 어떻게 국민들에게 실망을 줄 수 있는지 이해가 안 간다. 지성인다운 언행이 아니라는 생각이다. 그렇다면 다음의 문제점들에 대해서는 어떻게 답(答)할 것인지를 얘기해야 한다.

첫째, 이 싸움은 단순히 어느 특정인과의 싸움이 아니라 국민과의 싸움이라는 것을 잊어서는 안 된다. 그 피해는 오로지 국민들에게 직접 돌아오기 때문이다. 한국갤럽 여론조사에서도 국민의 76%가 증원을 원하고 있고, 16%가 반대하는 것으로 나타났다. 여기에 대해서 어떻게 답할 것인지 말해야 한다. 둘째, 타결이 안 되고 시간을 끌수록 의료계에 나쁜 이미지만 남게 된다. 모든 국민들은 이러한 상황들을 오직 의사들의 밥그릇 욕심 때문으로밖에 생각하지 않고 있다는 것을 알아야 한다. 다른 이유가 없기 때문이다. 여기에 대해서는 어떻게 답할 것인지. 셋째, 의사의 숫자가 절대적으로 부족하다. 우리나라의 임상의사수(한의사 포함)는 인구 1,000명당 2.5명 꼴로 OECD국 평균 3.7명에 비해 크게 부족하여 멕시코가 꼴찌로 2.41명, 한국이 2.51명으로 꼴찌에서 두 번째가 된다. 부족한 의사수에 대해서는 어떻게 답할 것인지.

넷째, 현장에서는 지금도 국민들의 희생이 따르고 있다. 히포크라테스, 제네바 선언으로 일생을 인류를 위해서 봉사하겠다고 선서한 사람들이다. 그런데 환자들을 팽개치고 집단행위를 할 수 있는 것인지. 법적인 문제를 떠나서 의사의 윤리적인 측면에서도 있을 수 없는 비인간적 범죄 행위라는 것을 생각해 봤는지.

얼마 전 충북 보은에서는 물웅덩이에 빠져 심정지 상태로 구조된 생후 33개월 아이가 상급 종합병원 이송을 거부당하다 숨지는 일이 발생했고, 충북 충주에서도 넘어진 전신주에 깔린 70대가 병원 3곳으로부터 이송을 거부당한 끝에 결국 숨진 사실이 뒤늦게 알려지기도 했다. 또 기약도 없이 하염없이 수술을 기다려야 하는 암 환자들과 가족들은 속이 타들어 가고 있다. 여기에 대한 답은 무엇인지 말해야 한다. 답하지 못한다면 국민들은 오로지 상위소득 계층의 사람들이 밥그릇 챙기기 위한 것으로밖에 생각하지 않는다는 것을 생각해야 한다.

55.

지혜가 필요하다

《대한시니어신문》 칼럼 2024.4.1.

인간사회에는 갈등이 있다. 갈등이 없을 수는 없다. 그런데 신의 세계에는 갈등이 없다. 왜냐하면 완벽한 것만 있기 때문이다. 그런데 인간에게는 갈등을 해결할 수 있는 능력이 있다. 갈등으로 행복도 만들 수 있고 불행도 만들 수 있으며, 천국도, 지옥도 만들 수 있다. 인간들만이 가지는 의지력이다. 다른 동물들이 가질 수 없는 축복이고 가치다. 의지력에 의해 천사가 될 수도 있고 악마가 될 수도 있다. 우리는 요즘 천국과 지옥을 느끼고 천사를 볼 수 있다.

지난 2023 아시아축구연맹(AFC) 아시안컵 준결승전에서 주장 손흥민(31)과 이강인(22)의 몸싸움이 있었다. 손흥민이 멱살을 잡자 이강인이 주먹질을 했다. 이로 인해 하극상을 한 이강인을 향한 여론의 분노가 폭발했다.

그런 일이 있은 후 이강인이 곧바로 런던으로 손흥민을 찾아가 사과

했고 그리고 인스타그램에 '게시물' 형태의 반성문까지 올렸다.

이에 대해 손흥민 역시 인스타그램에 이강인과 함께 찍은 사진을 올리면서, "강인이가 진심으로 잘못을 인정하고 저를 비롯한 모든 선수들에게 사과한다"고 했다. 그러면서 "강인이가 그날 이후로 너무 힘든 시간을 보내고 있다"며 "한 번만 너그러운 마음으로 용서해 달라"고 강인이의 마음까지 헤아려 걱정하며 축구 팬들에게 부탁까지 했다.

그리고 지난 태국에서 2026 북중미 월드컵 아시아 2차 예선전이 있었고, 이때 4차전 태국 원정 경기에서 손흥민은 이강인의 패스를 받아 두 번째 골을 터뜨리게 됐는데, 이때 이강인은 골이 터지자 기뻐하며 앞뒤 볼 겨를도 없이 곧바로 손흥민에게 달려가 펄쩍 뛰어올라 안겼다.

이에 손흥민 역시 달려오는 이강인을 활짝 안아 주며 "무겁더라" 하고 웃은 뒤 "이번 일로 인해 강인 선수가 정말 더 멋진 선수가 될 것"이라고 말하면서 "오랜만에 강인 선수를 끌어안아 봤는데 너무 좋았다. 강인이가 귀여운 막내의 매력이 있는데 그 매력을 오래 간직했으면 좋겠다"며 "내가 옆에서 강인 선수를 많이 도와주겠다"고 덧붙였다.

사랑이 넘치는 아름다운 모습이고, 보는 모든 사람들의 마음을 뭉클하게 해 주는 장면이다. 이분들이 바로 천사고 천국의 모습이다.

그런데 한편 요 며칠 사이 어느 정당의 공천과정 모습을 보면서 참으로 비정함을 느낀다. 비명계에 속한 후보 한 사람은 소속 정당의 20대 대통령선거 경선 후보이기도 했던 사람이다.

물론 시스템 공천이냐, 사천이냐를 논하자는 얘기는 아니다. 오직 공천 과정을 보면서 참으로 냉혹함을 느끼며 그 시기의 손흥민과 이강인의 모습이 오버랩(overlap)되는 것이다.

보도된 바와 같이, 박용진 더불어민주당 의원이 경선 결선투표에서 친명계 원외 인사인 정봉주 전 의원에게 패했다. 대표적 비명계 인사인 박 의원은 당 공천관리 위원회로부터 '현역 하위 10%' 통보를 받았고, 당헌 · 당규상 경선 점수의 30%를 감점받게 돼 있다.

그런데 공천이 확정된 정봉주 전 의원의 '목발 경품' 발언 논란에 대해, 사과받을 당사자들이 '연락이나 사과를 받은 적 없다'는 입장을 밝힘으로 민주당은 막말 논란에 싸인 정봉주 전 의원의 공천을 취소했다. 그러면서 비명계 박용진 의원이 "경선이 불공정하게 치러졌다"며 낸 재심 신청도 기각했다. 그리고 다시 재경선한 결과, 박용진(재선) 의원은 친명계의 지원을 받은 조수진 변호사에게 패하게 됐다. 정봉주 전 의원의 공천 취소로 이틀 전 경선 후보가 된 조 변호사가 박 의원을 꺾은 것이다.

그런데 이번에는 후보로 결정된 조수진 변호사가 자진 사퇴를 선언했다. 이유는 변호사 시절 다수의 성폭력 피의자를 변호했다는 논란 때문이다.

그러면서 더불어민주당은 최종 후보로 한민수 대변인을 공천했다. 한 대변인은 지난 대선 때부터 이 대표의 '입' 역할을 한 친명 핵심의 인물이다. 기어코 박용진 의원은 공천에서 탈락됐다.

일련의 일들을 보면서 비명계 한 사람의 후보는 결국 처절한 버림받음의 모습이 됐다. 많은 국민들도 '참 혹독하다'는 생각을 할 수 있고 또 그렇게 느꼈을 것이라 생각된다. 그러면서 떠오르는 것이 앞에서 얘기한 손흥민이 이강인을 품는 아름다운 모습이 오버랩되는 것이다.

저기는 저런데 여기는 참으로 살벌한 세상이구나 하는 생각이 든다. 이기기만 하면 되는 것일까. 이기적이면 되는 것일까. 지혜가 필요하다. 또 어느 사람은 정의를 강조하지만 고집스런 오기와 불통으로 국민들로부터 역풍을 맞는 사람도 있다. 오만과 독선으로 비춰지기 때문이다. 이기적이든 이타적이든 강한 의지력이 중요한 것이 아니라 지혜가 있어야 한다. 목적달성을 위한 소통, 설득, 시기, 방법, 때에 따라서는 자신의 비움 등의 지혜가 있어야 한다.

지혜가 없는 의지력은 마치 기초 없이 모래 위에 집을 지은 것이나 다름없다. 창수(漲水)가 나고 바람이 불면 그 집은 무너진다.

손흥민의 이해와 용서 같은 지혜가 필요하다.

이해는 남을 알고 받아들이는 것이고, 안다는 것은 인지가 아니라 공감하는 것이다.

의지력이 중요하듯 지혜가 필요하다.

56.

지혜를 모을 때다

《대한시니어신문》 칼럼 2024.3.25.

의사들의 집단행동이 한 달이 넘어가고 있다.

정부는 이탈 전공의들에 대해 금주부터 면허정지에 들어간다고 하며 3월 내에 돌아오라고 하고 있다.

박민수 보건복지부 2차관은 21일 '의사 집단행동 중앙사고수습본부' 브리핑에서 "정부는 업무개시명령 위반에 대해선 다음 주부터 원칙대로 의사면허 자격정지 처분을 해나갈 것"이라며 "전공의 여러분은 이제 환자 곁으로 돌아오기 바란다"고 했다.

작금의 의사들의 집단행동은 국민들 누가 보더라도 밥그릇 때문이라고 생각하지 않을 수 없다. 정원을 줄이겠다는 것도 아니고 늘리겠다는 건데 반대할 이유가 없다. 밥그릇 때문이 아니라면 증원하는 것만큼 자신들의 일이 줄어드는데 오히려 환영해야 할 일이 아닌가. 국민의 생명을 볼모로 밥그릇을 챙긴다는 것은 말이 안 된다. 의사의 소득은 누가 뭐라해도 상위 소득이다. 우리나라 근로자들의 월 평균 소득은 333만 원이다. 이 얘기를 듣는 어느 의사분은 10억 투자한 사람의 소득과 일반 근로자의 소득을 비교하면 되느냐고 얘기한다. 말귀를 이해하지 못하고 있다. 투자를 하고 안 하고의 문제가 아니라 국민들의 생활은 어려운데 상위 소득 계층의 사람들이 국민들의 생명을 볼모로, 환자들이야 어찌 되었든지 간에 내 밥그릇만 늘리려고 해서는 되겠냐는 얘기다. 그러니 국민 중 어느 누가 증원 반대에 동조할 수 있겠는가.

'국민들의 대다수가 증원을 원하고 있다. 정부의 의대 정원 2,000명 증원 계획에 대해 유권자의 절반 이상이 긍정적이다.

한국갤럽은 2.16일 "내년 대학 입시의 의대 입학 정원을 늘리기로 한 결정에 대해 어떻게 생각하냐"는 질문에 대해 1,002명의 유권자 중 76%가 "긍정적인 점이 더 많다"고 답했다고 밝혔다.'

(한국갤럽)

의사도 대한민국 안에 있는 집단이다. 국민 위에 군림할 수 없고, 정당한 정부정책에 대해 힘으로 밀어붙일 수 없다. 물론 의사표시는 할 수 있지만 정당한 정책을 뒤집으려 해서는 안 된다. 환자를 팽개치고 이권을 위해 저항하는 것은 의사표시의 한계를 넘어선 것이다.

또 정원을 늘리게 되면 교육의 질이 떨어진다고 한다. 그것 역시 교수의 수를 늘리면 되는 것이고 기자재의 확충 등 교육의 질을 높이도록 제도를 갖추면 되는 것이지, 이유 아닌 이유를 얘기하고 있다.

알아야 할 것은, 지금의 집단행동은 단순히 윤석열 정부와의 기(氣) 싸움이 아니라, 국민과의 싸움이 되어 가고 있다는 점을 알아야 하고, 국민들의 시선은 날로 곱지 않은 눈으로 주시하고 있다는 것도 또한 알아야 한다. 적당한 욕심은 좋다. 그러나 과욕은 화를 입는다. 국민의 76%가 증원에 찬성하고 있고, 정부는 정책으로서 확정했다. 확정된 정당한 정책은 철회될 수 없다.

예전처럼 물리적 힘으로 밀어붙이려 해서는 안 된다. 지금 정부의 자세는 과거 여느 정부와는 전혀 다르다는 것도 알아야 한다.

배고픈 사람에게는 동정의 마음이 갈 수 있지만 그렇지 않은 사람, 과욕을 부리는 사람에게는 반감이 간다. 겸허히 자신들을 돌아보고 과욕이었음을 깨닫고 환자들이 있는 현장의 자리로 속히 돌아오는 길밖에 없다. 그것이 바로 국민들의 눈높이다.

이러한 가운데 정부는 의대 정원 2,000명에 대한 대학별 배정을 마쳤고, 전국의대교수협의회 비대위원장이 21일 "정부가 대화의 장을 만들면 교수들도 사직서 제출을 철회할 가능성이 있다"고 말했다. 이에 따라 전국의대교수협의회회장단 요청으로 국민의힘 한동훈 비상대책위원장과 24일 오후 대화를 가졌다. 다행스러운 일이 아닐 수 없다.

의료계 일각의 제안이기도 하지만 '일단 2,000명 증원으로 시작하되 그다음 정원은 객관적으로 재검증해 보자'는 제안과 이탈 전공의들에 대한 유연한 행정처분 요구 등에 대해 서로 지혜를 모아 대화해 나가야 할 것이다.

57.

무덤 친구

《대한시니어신문》 칼럼 2024.3.18.

2024.3.6. 자《조선일보》 보도 내용이다.

"日노인들이 요즘 '떠나는 길, 쓸쓸히 가기 싫어' '무덤친구'를 사귄다고 한다.

황혼기에 접어든 노인들이 함께 합장묘에 누울 이들과 생전부터 다양한 교류를 맺으며 이른바 '하카토모(墓友 · 묘우, 무덤 친구)' 관계를 갖는다는 것이다. 통상 합장묘는 남편이나 부인 등 가족들이 한 무덤에 묻히는 경우인데, 일본에선 무덤을 돌봐줄 사람이 없거나, 가족들에게 부담을 주고 싶지 않은 독거노인들이 전혀 모르는 사람들과 묻히는 경우라고 한다.

그리고 이들은 같은 무덤에 누일 사람들끼리 오찬회도 갖는다. 보통 모르는 사람들과 식사를 하게 되면 자연스럽지 못할 수도 있을 텐데, 합장묘가 이어준 인연이랄까 새로운 연결고리란 생각에 전혀 저항감이 없다고 한다.

전문가들은 혈연을 넘어 무덤에 함께 들어간다는 유대감이 노인들의 삶을 느슨하게나마 지탱해 준다고 하고 있다. 또한 관에 들어가 '시신'이 되는 경험을 미리 해 보는 이른바 '입관 체험'을 하기도 한다고 한다."

글을 읽으면서 왠지 쓸쓸한 느낌을 감출 수가 없다. 분명 밝고 희망적인 얘기는 아니다.

떠나는 길, 쓸쓸히 가기 싫어 친구 되어 같이 가자는 얘기다.

오래전 일이지만 필자도 관속에 들어가 죽음을 체험해 본 적이 있다. 그런데 생각해 보면 별로 큰 느낌이 없었던 것 같다.

그것보다는 오늘을 어떻게 살아가야 하느냐가 더 중요하지 않은가 생각되는 것이다.

우리의 삶은 현실만을 의식하며 살아가는 삶과, 죽음을 함께 의식하며 살아가는 '종말론적 삶'으로 구분해 볼 수 있다. '종말론적 삶'이란 오늘을 살아가면서 '내가 죽어 캄캄한 땅속에 묻혀 있을 자신'을 느끼며 살아가는 삶이다.

우리의 주변에는 지금 이 순간에도 많은 사람들이 죽어가고 있다. 며칠 전 살아 있던 친구가 갑자기 죽어 오늘 장례를 치른다는 소식을 듣기도 한다. 그렇다면 삶과 죽음의 차이는 무엇인가를 생각하게 되고, 그럼에도 한편 아직 살아 있음에 감사하지 않을 수 없다.

죽은 사람은 더 이상 존재하지 않는다. 그러니 아직 살아 있다는 것이 기쁨이 아닐 수 없고 행복이 아닐 수 없다. '캄캄한 땅속에 묻혀 있을 나 자신'을 지금 느낄 수 있다면, 눈에 보이는 모든 대상들이 새롭고 아쉬워해야할 대상들이 아닐 수 없고, 미운 사람 싫은 사람이 어디 있으며, 돈과 명예와 권력은 또한 무슨 의미가 있는가를 생각하게 된다. 오직 순간순간이 소중할 뿐이고, 그 무엇도 다 아끼고 사랑해야만 할 대상들이고 사람들임을 깨닫게 된다. 가진 것이 없어도, 명예가 없어도, 권력이 없어도, 어제 부자로 죽은 사람보다도, 또는 명예와 권력을 가지고 오늘 죽은 사람보다도 지금 이 순간 살아 있는 내가 행복한 삶이 아닐 수 없다.

그런데 절실하게 느낄 수 있어야 한다. 죽음을 막연히 상상만 해 보는 것이 아니라, 미래의 사실을 지금의 현실로 느끼는 것이다. 생각하고 느낄 수 있는 것만큼 오늘 존재에 대한 행복을 느낄 수 있다. 90을 느낄 수 있다면 살아 있음에 대한 행복을 90을 느낄 수 있고, 70을 느낄 수 있다면 70만큼 행복을 느낄 수 있으며, 30을 느낀다면 존재에 대한 행복을 30만큼만 느낄 수 있다.

삶의 가치는, 살아 있음에 대한 가치를 느끼는 것만큼이고, 살아 있음에 대한 가치를 느끼는 것은 죽음을 느끼는 것만큼이다.

죽음은 누구에게나 닥쳐올 사실이고 현실이다.

잘 사는 삶은, 종말론적으로 순간순간을 마지막인 것 같이 진정으로 아쉬워하고, 아끼고 사랑하며 살아가는 삶이다.

죽음 뒤의 쓸쓸히 떠나는 길을 걱정하는 삶보다, 후회하지 않을 삶을 살아가는 것이 잘 사는 삶이다.

58.

내 자식 지상주의

《대한시니어신문》 칼럼 2024.3.11.

3월 2일 자 《조선일보》 보도에서,

'정신과 전문의 김현수(58) 명지병원 교수는 "서이초 사건은 단순히 교권(教權) 추락의 문제가 아닌, '내 새끼 지상주의'로 인한 공동체 붕괴의 문제"라고 했다.

지난 3년간 전국에서 학부모 민원 때문에 학기 중 교체된 초등 담임 교사는 102명이라고 한다. 학부모 민원에는 "급식에 나온 귤을 왜 까주지 않느냐" "애를 하교 후 학원에 데려다 달라" "마음 다치니 틀린 문제에 빗금 치지 말라" "아이가 선생님을 따라 하고 싶어 하니 반지 끼지 말고 아이폰도 쓰지 말라" "나도 다른 아버지들처럼 학교 찾아가 개판 쳐볼까요?" 등이다.

김 교수는 '내 새끼 지상주의'는 특권과 반칙, 예외를 허락해 공동체를 무기력하게 만들고 노력할 필요가 없는 사회풍조를 만든다고 하며,

그러나 최대 피해자는 바로 자신들의 자녀들이 된다고 말한다.'

인간은 공동체를 이루고 생활한다. 혼자서는 생활할 수 없다. 공동체가 건강해야 구성원도 건강하다. 특권과 반칙을 통한 '내 자식 지상주의'는 공동체를 붕괴시키고 내 자식 또한 파멸시키는 일이다.

몇 년 동안 온통 나라를 시끄럽게 했던 대표적인 사람이 있다. 지금도 진행 중에 있는 사건이다.

가짜 표창장과 허위 인턴 경력을 만들고, 논문에 엉터리로 이름을 올려 자기 자식은 명문대학과 대학원에 들어가게 하고, 신청하지도 않은 장학금을 유급하고도 받으면서, 다른 젊은이들에겐 "붕어 · 개구리 · 가재로 살라"고 하고, 자기 자식은 온갖 반칙으로 '용의 코스'를 밟게 했다. 그런 사람이 다른 사람들에겐 기회균등과 공정과 정의를 강조하고 있다. 파렴치 범죄로 2심까지 징역형을 받았으면서도 억울하다며 당(黨)을 만들고 현 정권을 심판하겠다고 한다. 심판받는 사람이 심판한다고 한다. 멘탈이 의심스러운 사람이다. 국민에 대한 도전이다.

'내 자식 지상주의'의 사람들은 지혜가 없는 사람들이다. 지식은 있을지 모르지만, 지혜가 없다. 지식은 지혜가 있을 때 가치가 있다. 사람을 사람 되게 하는 것은 지식이 아니라 지혜다. 지식은 이기적이지만 지혜는 공동체적이다.

나라를 시끄럽게 했던 그 사람은 지금도 자신의 잘못을 깨닫지 못하고 있는 것 같다. 무엇을 잘못했는지 왜 재판을 받아야 하는지를 모르는 것 같다. 그러기에 억울하다고 한다. 정말 잘못을 모르는 것일까. 아니면 좌절과 저항의 몸부림일까. 그러나 어떠한 경우라도 반성과 겸허의 길밖에는 없다.

김현수 교수는 지상주의의 '최대 피해자는 바로 자신들의 자녀가 될 것'이라고 말한다. 맞는 말이다.

지상주의의 자식들은 이기적일 수밖에 없고 공동체가 될 수 없다. 고립될 수밖에 없고 독립된 인격체로 성장할 수 없다.

말하는 그 사람은 어떤가. 욕심대로 원하는 대로 잘되었는가. 자식이 잘되었는가, 가정이 잘되었는가. 잘될 리가 없다. 공분(公憤)의 대상이 됐다. 지혜가 주는 교훈이다. 내 자식 지상주의는 욕심이고 죄다. 이기적인 것이 잠시는 잘되는 것같이 보일지 모르지만 결과는 그렇지 않다.

'내 자식 지상주의'는 정의, 공정, 기회균등과 같은 공동체적 가치를 파괴하고, 참고 이해하고 성실하게 살아가야 하는 가치를 노력할 필요가 없는 무기력한 사회로 만든다.

결국 나만을 위해 사는 것은 공동체를 붕괴시키고 공동체가 붕괴되므로 구성원 또한 같이 공멸하게 되는 것이다.

59.

손홍민의 용서

《대한시니어신문》 칼럼 2024.3.4.

지난 2023 아시아축구연맹(AFC) 아시안컵 준결승전에서 주장 손홍민(31)과 이강인(22)이 경기 전 몸싸움이 있었다. 손홍민이 멱살을 잡자 이강인이 주먹질을 했다고 한다.

이로 인해 이강인을 향한 여론의 분노가 폭발했다. 하극상이다. '국가를 대표하는 조직에서 하극상이란 있을 수 없는 일이다'라고 하며, 다수는 '이강인을 축구계에서 영구 퇴출시켜야 한다' 하고 '병역 면제를 박탈하고 입대시켜라' 또는 '국대에서 영원히 뽑지 말아야 한다'는 등 가시돋친 말들을 쏟아냈다.

하지만 한편에선 이번 사태에 대해서 "이강인만 너무 과도하게 비난하는 것도 안 된다"는 소수파의 의견도 있었고, 또 어느 사람은 스페인에서 자란 이강인이 유럽 문화식 자기표현이라고 말하는 사람도 있었다.

그런데 지난 21일 주장 손홍민이 "이강인을 특별히 보살피겠다"고 말했다. 이강인이 런던으로 손흥민을 직접 찾아가 사과하고 인스타그램을 통해 밝힌 뒤였다.

손흥민은 인스타그램에 이강인과 함께 찍은 사진을 올렸고 "강인이가 진심으로 잘못을 인정하고 저를 비롯한 모든 선수들에게 사과한다"고 했다. 그러면서 "강인이가 그날 이후로 너무 힘든 시간을 보내고 있다"며 "한 번만 너그러운 마음으로 용서해 달라"고 축구 팬들에게 부탁까지 했다.

훈훈한 풍경이다. 하지만 하극상은 처음부터 없었어야 더 좋았을 것이다. 용서를 빌고 용서를 한다 할지라도 사람의 감정은 유리와 같아서 한번 깨진 유리는 본연의 모습을 되찾을 수 없듯이 한번 상처 난 감정은 지워질 수 없다. 그래서 더욱 조심하게 되고 신경이 쓰이게 되는 부분이기도 하다.

그러나 그럼에도 불구하고 세상에 어느 누구도 완벽할 순 없고, 잘못이 없을 수는 없다. 그러기에 용서라는 것이 존재하고, 용서를 구하고 용서하게 된다. 그런데 중요한 것은 용서를 구하는 입장에서는 자신의 잘못을 진정으로 인정하고 뉘우침이 있어야 한다. 그러지 않고 주변의 인식 때문에 또는 분위기 때문에 마음에도 없는 용서를 구한다면 용서는 이루어질 수 없다.

그러나 일련의 일들을 보면서 보기에 좋다는 생각이 든다. 실은 하극상은 당하는 입장에서는 부끄럽고 수치스러운 일이기도 하다. 능력의 평가일 수도 있기 때문이다. 그런데 손흥민의 인간성을 보면서 참 따뜻하고 반듯한 사람이라는 생각이 들어간다. 도량이 넓고 관대한 마음이 주장답다는 생각도 들어간다. 9살이나 어린 사람에게 공개적으로 창피와 수모를 당한 것인데 그것을 받아 주고 또 상대방의 마음까지 헤아려서 걱정까지 해 준다. 참으로 훌륭한 인성이다. '강인이가 너무 힘든 시간을 보내고 있으니, 한 번만 너그러운 마음으로 용서해 달라'고 팬들과 국민들께 부탁까지 한다.

착하고 훌륭한 사람이라는 생각이 들어간다.

용서를 구하는 이강인의 입장에서도 직접 런던으로 손흥민을 찾아가 정식으로 사과했고, 인스타그램에 다시 '게시물' 형태의 반성문까지 올린 것을 봐서는 진정한 뉘우침과 사과일 것이라는 생각이 든다. 진정한 사과이기를 바란다.

조직에서는 아무리 뛰어난 인재들이 있다 하더라도 질서가 와해되면 축구든 기업이든 조직은 성공할 수 없다. 그런데 두 사람의 일련의 모습들은 희망이 있어 보인다.

뼈도 부러진 부분이 더 단단히 붙는다는 말도 있다. 오늘을 계기로 두 사람의 우정이 더욱 성숙되기를 바라고, 팀워크 역시 더욱 건강한 조직으로 발전해 가기를 바란다.

용서는 잘못이 있기에 존재한다.

두 사람과 한국축구계에 응원을 보낸다.

60.

'제네바 선언'을 기억하기 바란다

《대한시니어신문》 칼럼 2024.2.26.

의료사태가 장기화되고 있다. 22일 현재 사직서를 제출한 전공의는 8,897명으로, 수련병원에 속한 전공의의 78.5%이며, 사직서는 전부 수리되지 않은 상태이고, 근무지를 이탈한 전공의들은 7,863명(69.4%)인 것으로 확인됐다.

이에 따라 접수된 피해 사례는 40건으로, 수술 지연이 27건, 진료 거절 6건, 진료 예약 취소 4건, 입원 지연 3건 순으로 나타났다.

이에 정부는 강경 대응 방침으로 23일부터 의사 집단행동이 종료되는 시점까지 비대면 진료를 전면 허용한다고 밝혔다.

우리나라에서는 의과 대학을 졸업할 때에 다음과 같은 제네바 선언문(히포크라테스 선서 수정문)을 선서한다.

〈제네바 선언〉

1) 나의 일생을 인류 봉사에 바칠 것을 엄숙히 서약한다.

2) 스승에게 마땅히 받아야 할 존경과 감사를 드린다.

3) 의술을 양심과 품위를 유지하며 베푼다.

4) 환자의 건강을 가장 우선적으로 배려한다.

5) 환자에 관한 모든 비밀을 지킨다.

6) 의업의 고귀한 전통과 명예를 유지한다.

7) 동료를 형제처럼 여긴다.

8) 종교, 국적, 인종, 정치적, 사회적 신분을 초월하여 오직 환자에 대한 의무를 다한다.

9) 생명이 수태된 순간부터 인간의 생명을 존중한다.

10) 위협이 닥칠지라도 의학 지식을 인륜에 어긋나게 쓰지 않는다.

11) 명예를 걸고 위와 같이 서약한다.

한 마디로 말하면, 인간의 생명을 무엇보다 존중하고, 일생을 환자들을 돌보며 봉사하겠다는 내용의 선서다. 봉사는 남을 위하여 자신을 돌보지 아니하고 힘을 바쳐 애쓰는 행위다.

이보다 더 고귀한 가치가 있을까. 이보다 더 아름다운 맹세가 있을까 하는 생각을 한다.

선서는 사람들 앞에서 성실히 이행할 것을 맹세하는 행위이고, 맹세는 약속이나 목표를 꼭 실천하겠다고 하는 다짐이다. 즉, 많은 사람들 앞에서의 약속의 다짐이다. 그리고 자신과의 약속이고 의지의 결정체며 인격의 표현이기도 하다. 그래서 어떠한 일이 있더라도 약속한 것은 꼭 지키려고 노력한다.

그런데 그렇게 맹세한 사람들이 집단행동을 하고 있다. 그러면서 자신들은 밥그릇 때문이 아니라고 얘기한다. 그렇다면 무엇 때문인가. 증원을 하면 증원하는 것만큼 업무량은 줄어드는데, 말이 안 되는 소리다. 현실을 보는 국민들의 시선은 곱지만은 않다.

의사의 직업은 성직이다. 신부나 목사만이 성직자가 아니다. 인간의 생명을 다루는 직업이 바로 성직이다. 성직자의 마음을 가지지 않고서는 인간의 생명을 다룰 수 없다. 또한 의사들은 사회적으로도 인정받는 지성인들이다. 누구보다도 높은 도덕적 의무와 책임을 져야 하는 사람들이다.

그런데 어떠한 이유든 간에, 인간의 생명을 볼모로 하여 근무지를 이탈하고, 위급한 환자들을 팽개치고 서슴없이 집단행위를 할 수 있는 것인가. 생명을 존중하고 오직 환자들을 위해 봉사할 것을 맹세한 사람들이 아닌가.

촌각을 다투는 환자들의 생명을 위태롭게 하는 행위는 법적인 문제를 떠나서 의사의 윤리적인 측면에서도 있을 수 없는 비인간적 범죄 행위다.

국민들은 실망하고 있다. 그러한 정도의 가치관이라고 한다면 처음부터 신성한 선서는 하지 않았어야 한다.

생각하기 바란다. 생명보다 더 큰 가치는 없다. 또 생명을 돌보는 것만큼 더 아름다운 가치도 없다. 의사 면허는 그러한 가치들을 돌보고 지키라고 준 것이다.

뒤돌아 제네바 선서를 생각할 수 있다면, 의사의 본분을 잊지 않았다면 환자들이 있는 현장의 자리로 돌아가야 한다. 생사의 갈림길에 있는 환자들이나, 애타게 마음을 졸이는 가족들을 조금이라도 생각할 수 있다면 속히 현장으로 돌아가기를 모든 국민들은 원하고 바라고 있다. 생명보다 더한 가치는 없다. 또한 잘못의 길에서 돌아서는 것만큼 아름다운 행위도 없다.

이러한 가운데 오늘 뉴스에는 의대 교수들이 중재를 자처하며 정부와 의사·간호사 등 이해관계자들이 참여하는 '다자 협의체' 구성을 제안했다. 이에 정부도 협상 테이블에 앉아 설득을 통해 의료사태를 조속히 해결해 나가야 할 것이다.

61.

의대 증원 반대, 명분 없다

《대한시니어신문》 칼럼 2024.2.19.

정부 의료개혁 방침에 따른 의사들의 집단행동이 16일 현재 23개 병원에서 715명의 전공의들이 사직서를 제출했다고 한다. 이에 따라 정부는 221개 전체 수련병원 대상으로 집단연가 사용 불허 및 필수의료 유지 명령을 발령했고 또 현장 점검을 실시해 진료를 거부한 전공의들에 대해서는 업무 개시 명령을 발령해 위반 시에는 법적 조치를 취할 것이라고 했다. 또 의협은 의료계 단체 행동 여부는 전 회원 투표로 결정하겠다고도 했다. 의료계가 연일 시끄럽다.

그럼에도 불구하고 의대 증원은 하는 것이 맞다고 본다. 목표는 분명하다. 아프면 병원에 가야 한다. 그래서 국가는 병원이 부족하면 병원을 늘려야 하고, 의사가 부족하면 증원해야 한다. 국가의 책임이다. 반대할 이유가 있는가. 누가 반대하겠는가. 생명을 중시하는 의료인들은 더욱 반대할 명분이 없다. 한국갤럽 여론조사도 국민의 76%가 증원을 원하고 있고, 16%가 반대하는 것으로 나타났다.

우리나라의 임상의사수(한의사 포함)를 보자. 인구 1,000명당2.5명 꼴로 OECD 국가 중 멕시코 다음으로 적은데 OECD국 평균 3.7명에 비해 크게 하회하여 인구대비 의사 숫자가 다른 나라에 비해 현저히 부족한 상태다. 여기에 한의사 수를 제외한다면 수치는 멕시코보다도 더 적은 것으로 나타난다. 아울러 주요국별 현황을 보면 오스트리아가 5.35명, 노르웨이가 5.09명, 스페인이 4.58명, 독일이 4.47명, 스위스가 4.39명, 스웨덴이 4.29명, 덴마크가 4.35명, 이탈리아 4.0명 순이고 멕시코가 꼴찌로 2.41명, 한국이 2.51명으로 꼴찌에서 두 번째다.

임금상태는 어떤가. 물론 인턴이나 레지던트, 펠로우, 교수 또는 개업의사들이 각각 다 다를 수 있다.

보도에 의하면(《조선일보》 2월 17일 자) "개업 의사들은 연평균 3억 4,200만 원(2021년 기준)을 벌고 있다고 한다. 만약 정부 방침대로 정원을 2,000명씩 5년간 1만 명 늘리더라도 실제 의사가 나오는 10년 후엔 의사 인력이 7~8% 늘어나는 수준이다. 그만큼 늘더라도 개업의사의 소득은 3억 1,000만~3억 2,000만 원 정도가 나온다고 한다." 어떻든 여전히 개업의사의 대부분이 우리 사회 상위에 속하는 수준이다. 반면 2021년 우리나라 임금근로자들의 한 달 평균 소득은 333만 원이다.

물론 반대의 이유는 있을 수 있다. 그런데 객관적으로 볼 때, 그 어떠한 이유로도 그럴 만한 명분이 없다. 의사의 숫자가 절대적으로 부족한

데 무엇으로 설명할 것인가. 국민들이 이해해 줄 수 있겠는가. 동조할 국민들이 있겠는가. 없다.

그 이유가 밥그릇 때문이라고 한다면, 더더욱 그렇다. 얘기했듯이 임금근로자들의 한 달 평균 소득이 333만 원이라고 했지만, 평균 이하의 근로자들은 또 얼마나 많은가. 시장경제사회에서 부자 되는 것을 뭐라고 하는 것은 아니다. 다만 국민을 생각하고 대부분의 저임금 근로자들을 생각할 수 있다면 이렇게까지 대놓고는 할 수 없다는 얘기다. 어떠한 이유로도 반대해야 할 아무런 명분이 없다는 얘기다.

내 위치에서 내 위주의 생각이 아닌, 모든 사람들 위치에서 모든 사람들을 생각할 수 있는 지혜가 필요한 때다.

62.
건국 전쟁

《대한시니어신문》 칼럼 2024.2.13.

김덕영 영화 감독의 이승만 대통령의 다큐멘터리 '건국전쟁'이 2024. 2.6. 자 《조선일보》에 소개됐고, 개봉 12일 만에 관객 24만 명을 돌파, 다큐 영화로서는 이례적으로 흥행 열풍을 일으키고 있으며, 이달 중순 미국에서도 개봉된다고 한다.

이념의 논쟁에는 끝이 없고 답이 없다. 자신들만의 가치와 기준에서 생각하고 판단하고 주장하기 때문이다.

민주주의는 보편적 국민의 가치기준에서 생각되고 판단되어야 한다. 그것이 민주주의다. 이념의 논쟁에 역사를 끌어들여서는 안 된다.

대통령 이승만이 이념 논쟁의 대상이 되어 사실이 왜곡되고 폄훼되고 있다. 이유는 대한민국의 정통성을 부정하기 위함이다.

"〈이승만이 분단의 책임자인가〉 스탈린은 북한 주둔 소련군 사령

관 슈킨에게 '한반도 북부에 소련의 이익을 가져올 정권을 수립하라'고 지령했다. 이에 따라 1946년 2월 북조선임시인민위원회라는 사실상의 정부가 들어서 토지 국유화를 추진했다. 이승만이 귀국하기도 전의 일이다. 분단의 원인은 소련과 북한에 있다.

〈내각에 친일파만을 등용했나〉 부통령 이시영, 국무총리 이범석, 법무부 장관 이인, 문교부 장관 안호상, 농림부 장관 조봉암 등 초대 내각 각료 대부분이 항일 · 독립운동가였고, 반면 북한은 내각에 강양욱 · 이승엽 · 정국은 등 과거 친일 경력이 있던 인물이 상당수 들어갔다.

〈6 · 25 때 국민을 버리고 도망갔나〉 미국 CIA에서 기록한 1950년 6월 27일 이승만의 연설 어디에도, '서울 시민 여러분, 안심하고 서울을 지켜 달라'는 내용은 없었고, 무초 주한 미국대사가 '한반도를 떠나 망명정부를 세우라'고 권유하자 이승만은 권총을 꺼내 들고 '인민군이 오면 그들을 쏘고, 마지막 한 발은 내게 쏘겠다'고 말했다.

〈미국의 앞잡이였나〉 미국을 상대로 한미상호방위조약을 이뤄냈고, 주한미군 주둔, 한국군 증강, 8억 달러 경제원조 등 약소국이 강대국을 상대로 얻을 수 있는 최고의 조건을 얻어냈다.

〈독재자였나〉 의회와 언론의 역할이 봉쇄된 적이 없다. '독재자 이승만'이라는 말은 당시 야당의 정치적 구호 속에서 등장한 말이다.

〈부정선거의 원흉이었나〉 4대 대통령 선거 당시 조병옥의 서거로 이승만의 당선은 확정적이었고, 3 · 15 부정선거는 이기붕의 부통령 당선 공작으로, 이승만과는 무관하다. 4 · 19가 일어난 뒤 부상 학생들을 위문하고 '내가 맞아야 할 총을 귀한 아이들이 맞았다'며 울었고, 스스로 하야했다."

(2024.2.6. 자 《조선일보》)

민주주의는 다양한 의견들이 존재한다. 그러나 다양한 의견을 주장만 하는 것이 민주주의가 아니라, 다양한 의견을 통합하고 하나의 의견으로 만들어 내는 것이 민주주의다. 통합하고 하나로 만들어 내지 못한다면 戰場일 수밖에 없다.

功過는 누구에게도 있다. 개인 하나하나에게도 공과는 있고, 어떠한 조직에도 있으며, 국가에도 역사에도 공과는 존재한다. 완전함이란 없다.

조상들에게도 공과가 있다. 그러나 잘못이 있다고 해서 조상이 아닐 수 없듯이, 대통령에게 過가 있다고 해서 그 부분만을 들춰내 왜곡하고 역사를 부정할 수 없다. 지금도 일부 좌편향 학자들이나 정치인들에 의해 사실이 왜곡되고 있다. 역사를 왜곡하는 일은 국민 앞에 용서받지 못할 죄다.

이승만 대통령이 존경받아야만 할 또 다른 이유는, 대한민국의 건국 대통령이기 때문이다. 공과가 있다면 존경의 문제와는 별개로 판단되고 평가되어야 할 문제다. 그러나 평가 이전에 건국 대통령으로서의 업적과 功이 크다. 功을 지우거나 過를 부각시켜 폄하해서는 안 된다. 그렇게 하려는 이유가 바로 북한의 김일성을 내세우기 위함이다.

조상을 공경해야 되듯이, 대통령 또한 대통령이었기에 존경해야 한다. 그것이 후손된 국민의 도리다. 판단의 문제가 아니라, 도리의 문제다.

국가보훈부는 '이달의 독립운동가' 제정 32년 만에 이승만 초대 대통령을 선정했다고 한다. 또한 이승만 대통령 기념관도 건립 추진 중에 있다. 기념관이 건립되면 그동안 흩어져 있거나 사장됐던 자료와 영상 등이 모일 것이다. 늦었지만 참으로 다행스런 일이 아닐 수 없고, 좌편향 왜곡되었던 역사도 바로 세워야 한다.

그동안 할 일을 하지 못했던 국민도리에 부끄러움과 죄책감을 느끼지 않을 수 없는 것이다.

63.

북한 인권과 탈북민

《대한시니어신문》 칼럼 2024.2.5.

2024. 1. 22. 일 자 《조선일보》에 보도된 내용이다.

"'엄마가 중국 가서 돈 많이 벌어 올게. 두 밤 자고 올게.' 탈북민 이소연(49) 씨는 2008년 매달리는 6살 아들을 다독이고 북·중 국경을 넘었다. 그날이 아들을 본 마지막 날이 될 줄은 꿈에도 몰랐다."

"이씨는 한국에서 아들에게 보낼 돈을 마련하기 위해 안 해 본 일이 없다. 오전 7시부터 2시간은 시급 5,000원 고시원 청소를 하고, 오후에는 서점에서 책을 나르고, 쪽잠을 잔 후 오후 10시부터 오전 6시까지 편의점에서 아르바이트를 했다."

"이씨 아들은 도중에 중국 공안에 잡혀 강제 북송된다. 이씨는 19일 본지 인터뷰에서 '아들이 땅에 기어다니는 벌레를 주워 먹어서라도 어떻게든 살아만 있어 주길 바랄 뿐'이라며 '아들과 얼굴을 마주 보고 밥 한 끼만 먹어 보는 게 마지막 소원'이라고 말했다."

그동안 한국에 입국한 탈북민 숫자는 약 3만 3천 명 정도에 이르고, 이 중 사망자나 이민자를 제외하면 현재 약 2만 7천 명 정도가 국내에 거주하고 있다고 한다.

이소연 씨의 아들을 구출하는 얘기는 다큐멘터리 영화화되어(비욘드 유토피아) 미국 아카데미상 다큐멘터리 부문에 오를 전망이라고 한다. 물론 탈북민 한 분, 한 분 모두의 얘기가 다 생사를 넘는 다큐멘터리 영화의 주인공들일 것이다.

북한인권 문제가 유엔 등 국제사회에 관심을 갖기 시작한 것은 1990년대 중반부터다. 30년 가까운 시간이 흘렀지만 달라진 것은 아무것도 없다.

북한의 인권 침해 실태는, 기본적 인권과 자유에 대한 박탈 및 차별화, 표현의 자유 침해, 생명권 침해, 이동의 자유 침해, 식량권 침해, 정치범수용소 인권 침해, 고문과 학대, 강간, 공개처형, 적법한 절차와 법치의 부재, 즉결·자의적 처형, 정치적·종교적 이유의 사형 등이다.

2014년 유엔 차원의 공식기구인 북한인권조사위원회(COI)에서는 북한에서 조직적이고 광범위하게 인권침해가 일어나고 있으며, 반인도 범죄에 대해서 국제형사 재판소에 회부해야 하고, 책임자들을 겨냥한 제재를 채택해야 한다고 권고하고 있다.

그러나 그럼에도 불구하고 북한 당국은 주민들의 인권개선보다는 체제 유지를 위하여 '반동사상문화배격법'과 '청년교양보장법' 등과 같은 반인권적 법률까지 제정하며 주민들에 대한 통제를 강화하고 있다.

북한 당국이 인권개선을 하지 않는다면, 피해자인 북한 주민들 스스로가 인권을 쟁취해야 하지만 극도로 통제된 북한 체제에서는 불가능한 일이다.

중요한 것은 그럼에도 불구하고 북한 인권 침해 실태를 북한이 반박하지 못하도록 더욱 신뢰성 있는 자료와 분석에 기초해 문제 제기를 해나갈 필요가 있다. 또한 북한 수뇌부의 반인도 범죄에 대한 국제형사재판소 회부 노력도 계속 압박해 나가야 한다.

그동안 탈북자 증언 확보나 실태 파악은 주로 NGO에 의해 진행되어 왔다. 그런데 2016년 북한인권법이 제정됨에 따라 통일부 북한인권기록센터에서 북한인권 관련 자료를 수집 · 기록하고, 법무부 북한인권기록보존소에 보존 · 관리하도록 되었다.

그런데 지난 정부까지 통일부 북한인권기록센터는 그동안 인권실태조사자료를 공개하지 않았고, 심지어 민간단체가 보존하고 있는 기록마저 폐기를 요구하기도 하고 대북전단금지법으로 불리는 남북관계발전법의 개정도 있었다. 도저히 있을 수 없는 일로, 북한 인권 침해 자료와 함께 기록 보존돼야할 대상이다.

북한인권 침해 기록 관리는 단지 보존만을 위한 것이 아니다. 통일 이후 자료로 활용되는 것도 중요하지만, 당장은 현재 북한의 인권침해 현장에서 인권침해를 실행하는 자들에 대한 심리적 압박이 더 중요하다. 이를 위해서 가해자에 대한 정보 수집이 필요한 것이다. 신뢰성 있는 자료 분석에 기초해 지속적으로 지적하고 국제사회에 알리는 작업

등을 통해 압박해 나가야 할 것이다.

아울러 탈북민들에겐 트라우마가 있다. 정든 고향과 가족들을 버리고 떠나야만 했던 트라우마와, 그리고 탈북 과정에서 겪게 되는 수많은 고통과 두려움의 트라우마, 이러한 트라우마를 치유하지 못한 채 남한에 적응해야만 하는 트라우마가 있다. 정부에서는 '북한이탈주민의 날' 제정을 추진하고 있다고 한다. 몸은 자유를 얻었지만 마음은 트라우마에 갇힌 채 불안 속에 생활하는 탈북민들에게 좀 더 따뜻한 온정의 손길이 필요하지 않은가 생각된다.

(자료 인용: 통일코리아 협동조합 blog)

64.

잃어버린 자의 감사

《대한시니어신문》 칼럼 2024.1.30.

2024.1.15. 자 《조선일보》에 남경필 전 경기지사에 대한 얘기가 소개됐다.

"남경필 전 경기지사를 만난 건 지난달 20일, 장남 주성씨가 마약 투약으로 징역 2년 6개월 형을 확정받은 날이다. 결코 짧은 형기가 아닌데도 아버지 남경필은 '감사하다'고 했다. '이제 사회에서 격리돼 제대로 치료받게 됐으니까요.'"

"마약에 취한 아들의 모습을 본 적이 있다. 내 아들이 아니다. 내가 알던 착하고 똑똑한 아이가 아니었다."

"지난 3월 성지순례 때 아들의 마약 소식을 듣고 내가 믿는 하나님을 원망했다. 대체 나더러 어떡하라는 거냐, 몸부림치며 소리소리 질렀다. 그때 하나님 음성을 들었다."

남경필 전 경기지사(34대)는 한때 잘나가던 정치인이었다. 그는 5선(15~19대) 국회의원을 했고 그의 부친도 역시 2선(14~15대) 국회의원을 했으며, 조부가 창업한 운수회사를 대대로 경영해 온 재력가 집안이기도 하다. 누가 봐도 화려하고 부러울 수밖에 없는 가문이다. 그런데 그러한 분에게 이러한 아픔이 있는 줄은 기사를 보고서야 알았다. 그는 전처와도 헤어졌고, 그의 아들은 마약으로 수감 중에 있으며, 본인은 2018년 경기도지사 연임에 낙선하면서 정계에서도 은퇴했다. 아픔 중에서도 자식에 대한 아픔은 어떤 아픔보다도 더 큰 아픔일 것이고, 그리고 이혼의 아픔은 어떻겠는가. 또한 대통령이 꿈이었던 길을 포기하고 돌아설 수밖에 없었던 아픔은 말할 것도 없을 것이다. 하루아침에 높은 빌딩에서 바닥으로 떨어진 아픔이다.

필자는 기사를 읽으면서 '삶이란 바로 이런 것이구나' 하고 새삼 생각했다.

우리는 흔히 잘나가는 사람들을 보게 되면 부러워하게 되고 나는 왜 이렇게 지지리도 복이 없을까 하고 생각도 한다. 그런데 사람들의 사는 속을 들여다보면 다 마찬가지다. 그 속에는 아픔이 있고 괴로움이 있고 남들이 모르는 고통이 있다. 나만 힘들고 나만 아픔이 있는 것이 아니다. 힘들고 아픔이 있기는 다 마찬가지다. 모르고 있을 뿐이다. 그렇다고 남들도 다 그러하니 남의 아픔으로 나의 위안을 삼자는 얘기는 아니다.

그렇다면 남 전 지사는 실패한 삶인가. 희망이 없는 삶인가. 아니다. 남 전 지사는 분명 다른 가치를 깨닫고 있는 삶이다.

그는 지금 마약 없는 세상을 만들기 위해 마약퇴치 운동가로 활동하고 있다. 그리고 "철창 속 아들이 날 변화시켜…. 정치할 때보다 행복하다"고 얘기하고 있다. 그리고 감사하다고 하고 있다.

괜한 소리인가. 그렇지 않다. 그는 이제까지의 가치와는 다른 진정한 가치를 찾은 것이다.

버리고 잃어버린 아픔보다도, 얻은 깨달음의 가치를 더 크게 생각하고 감사함이 무엇인지 깨닫고 있다. 진정한 가치를 얻고 있는 것이다.

우리는 아픔 속에서 깨달을 수 있고, 아픔 속에서 겸허해질 수 있으며, 아픔 속에서 감사함을 느낄 수 있다

배가 부르면 배고픔을 모르고 배부름의 감사함을 알 수 없다. 그것을 깨닫는 과정이 바로 삶이다.

그래서 아픔이 있고 시련이 있고 고통이 있는 것이다.

배도 고파 봐야 하고, 아파도 봐야 하며, 시련과 고통도 겪어 봐야 한다. 그래야 깨달을 수 있다.

남 전 지사는 결코 실패한 삶이 아니다.

결산은 삶의 끝에 이루어진다.

65.

104세의 노교수

《대한시니어신문》 칼럼 2024.1.22.

2024.1.13. 자《조선일보》에 김형석 연세대 명예교수가 소개됐다. 올해 104세다.

이러한 얘기가 나온다.

"100세가 넘어 제주나 부산으로 비행기를 탈 때마다 난처한 일을 겪었다. 내 주민증으로 예약한 탑승권은 기계가 인식하지 못한다. 02세가 되기도 하고 탑승권이 나오지 않을 때도 있다."

이 기사를 보면서, 대단한 분이라는 생각이 들어간다. 104세, 지금도 젊은이들 못지않게 왕성하게 활동한다고 한다. 문학인들 모임에도 나가고 시 낭송도 하고 그리고 새해에는 시집도 한 권 내고 싶다고 한다. 시종 대단한 분이라는 생각과 함께, 104세의 연세가 주는 남다른 느낌의 말들이 있다.

먼저, "80대에 아내를 보내곤 집이 비어 있는 것 같더니, 90에 안병욱·김태길 교수와 작별한 후에는 세상이 빈 것처럼 허전했다."고 한다.

필자는 아직 그런 체험은 없지만, '집이 비어 있는 것 같고, 세상이 빈 것같이 허전했다.' 는 그 허전함은 단순한 허전함이 아닌, 다시는 돌아올 수 없는 시간들에 대한 애절한 그리움과 아쉬움과 그리고 잘해 주지 못했던 일들에 대한 후회의 허전함일 것이라는 생각이 든다. 좀 더 잘해 줄 것을, 좀 더 아끼고 사랑해 줄 것을, 좀 더 이해하고 용서해 줄 것을, 그런데 그렇게 해 주지 못한 것들에 대한 후회이고 아쉬움인 것 같은 생각이 든다. 그래서 현실에서의 사람들과의 만남이 얼마나 소중한 것인지, 얼마나 귀중한 관계인지를 깨닫게 해 주는 말과도 같다. 두 번 다시는 영원히 만날 수 없는 사람들이기 때문이다.

그리고 다음의 말이다.

"구상 시인이 … 나에게 보낸 시가 있었다. '하늘을 우러러 한 점 부끄럼이 없기를…' 하는 마음으로 인생을 시작했는데 '죽음의 문 앞에 서니까 내가 그렇게 부끄러운 죄인이었다'라는 시였다."

(故) 具常 시인이 죽음을 앞두고 보낸 한 소절의 시 같다. 이 부분은 죽음의 기로에서만 줄 수 있는 느낌의 말인 것 같다.

그런데 '그렇게 부끄러운 죄인'이란 말은 무슨 말일까. 부끄러움 없이 평생을 사신 분들 같은데.

인간은 살아가는 동안에는 '하늘을 우러러 한 점 부끄럼이 없기'를 바라며 당당하게 살아간다. 그러나 막상 죽음 앞에 서게 되면 인간들은 어느 누구나 어쩔 수 없이 부끄러운 죄인의 모습이 된다. 그런데 죄는 무엇을 잘못했기 때문만이 아니라, 할 것을 하지 않은 것이 죄가 된다. 역시, 이해하지 못하고 용서하지 못하고 아끼고 사랑해 주지 못한 것이 죄가 된다. 좀 더 아끼고 사랑하며 살아왔어야 할 삶들에 대하여, 좀 더 이해하고 용서하며 살아왔어야 할 삶들에 대하여, 좀 더 나누고 보살펴야 할 삶들에 대하여 그렇게 해 주지 못한 것이 죄가 된다.

이제 우리는 나만을 위해 움켜쥐고 살아온 삶에서, 남을 위한 사랑의 삶을 살아가야 함을 생각케 한다.

그것이 부끄러움 없는 삶이 될 것이다.

그리고 이런 말을 했다.

"앞으로 5년의 삶이 더 주어진다면 나도 여러분과 같이 시를 쓰다가 가고 싶다고 했다."

"내 새해 소망은 시인이다. 시다운 시를 쓰지 못하면 산문이라도 남기고 싶다. 100세가 넘으면 1년이 과거의 10년만큼 소중해진다."

새해의 소망은 시인이라고 한다. 역시 참, 대단한 분이시다.

모쪼록 더욱 건강하시고 새해에는 뜻하신 소망이 꼭 이뤄지는 한 해가 되시기를 바란다.

66.

빈곤 노인 대책 시급하다

《대한시니어신문》 칼럼 2024.1.15.

통계청 자료에 의하면, 우리나라 인구 중 고령자의 비율은 "2023년 18.4%에서 2037년에 31.9%, 2070년에는 46.4%로 늘어날 전망이다.

고령자의 비중이 14%에서 20%로의 진입 기간은 프랑스가 39년(2018년까지), 미국이 15년(2029년까지), 일본이 10년(2004년까지) 걸린 반면, 우리나라는 7년(2025년까지)"에 불과하다.

문제는 고령화의 속도만큼 노후에 대한 준비가 안 돼 있는 것이다. 노인 빈곤 문제다. 우리나라 노인 빈곤율은 세계 최고 수준이다.

한국개발연구원(KDI)에 의하면, "소득에 자산까지 포함하는 연금화 방식으로 볼 때 한국이 26.7%로(소득기준 43.4%), 독일 10.7%, 미국 9%, 호주 7.9%, 이탈리아 7.3%, 영국 6.6% 등에 비해 빈곤율이 압도적으로 높다.

소득과 자산을 고려한 실질 소득이 최저임금 수준에도 미치지 못하는 노인이 3명 중 1명 꼴이다. KDI는 소득이 중위소득의 50%보다 적은 노인을 빈곤 노인으로 분류하고 있다.

보건복지부는 폐지 줍는 노인 중 절반 이상이 생계비를 마련하기 위한 것이라고 한다.

"조사 대상 노인 1,035명 중 54.8%는 생계비 마련을 위해 폐지를 줍고 그다음이 용돈 마련 29.3%다.

폐지 줍는 노인들은 평균적으로 일주일에 6일, 하루 5.4시간을 일해 월 15만 9,000원을 번다. 하루 평균 수입은 6,225원이고, 시간당 수입은 1,226원이 된다.

연금과 기초생활보장 급여 등을 포함 월평균 개인 소득은 74만 2,000원 정도로, 전체 노인의 월평균 개인 소득의 절반 수준이다. 폐지 수집 노인들의 주된 소득원은 기초연금 49.9%이고, 폐지 수집 활동으로 얻는 소득은 15% 정도가 된다."

(보건복지부)

이와 같이 초고령화에 따라서 경제적으로 준비되지 못한 노인들의 빈곤 문제 해결을 위한 정부대책이 시급한 실정이다.

KDI는 심각한 노인 빈곤 문제를 해결하기 위해 노년층의 실질적인 소득을 고려해 기초연금을 더 선별적으로 더 두텁게 지원해야 한다고 하고 있다.

"그러기 위해서는 재원은 한정돼 있기 때문에 무엇보다 취약계층 선별을 잘해야 할 것이고, 주택연금이나 농지연금 등의 정책을 활용해 스스로 빈곤층에서 탈출할 수 있거나, 자산 처분을 통해 탈출할 수 있는 저소득·고 자산 노인들에 대한 지원은 줄여야 하며, 저소득·저자산에 더 집중해야 하고, 소득 인정액 기준도 낮춰 더 두터운 기초연금을 제공해야 한다. 즉 취약계층에 지원을 집중하기 위해 재산을 고려한 소득 인정액이 일정 수준 이하인 고령층에게만 지급될 수 있도록 해야 한다."

그런데 문제는 기초연금 지급 대상에서 제외된 노인분들이다. 기초연금은 기초연금법에 의해 현재 고령층 70%에게 지급하고 있는 생활안정 지원자금이다. 특히 노후를 준비하지 못한 현실의 경제적 어려운 노인들에 대한 지원이다. 그런데 직역연금수급권자의(공무원연금, 군인연금, 사립학교교직원 연금 등) 연금대상자(20년 이상 근무자)가 퇴직 시 연금이 아닌 일시금으로 지급받은 노인들에 대해서는 기초연금 지급이 제외되고 있다. 이유가 뭔지 모르겠다. 관련 법규에는 이유도 설명도 없다. 허기야 이유가 왜 필요한가. 현실의 경제적 어려운 노인들을 도와주자는 제도가 아닌가. 다른 이유가 있을 수 없다. 해당부처에서는 법이 그렇기 때문에 현실적으로 어쩔 수 없다는 똑같은 얘기일 뿐이다. 그분들이 국가에 대해 무슨 죄라도 졌다는 말인가. 잘못이라도 했다는 말인가. 타당한 이유를 설명해야 한다.

지금도 전국적으로 많은 노인들이 생계의 위협을 받고 있거나, 기초연금 혜택을 받지 못하고 세상을 떠나는 노인들이 많이 있다.

정부는 형식적인 노인정책이 아니라 의사표현이 어려운 노인분들의 구석구석을 촘촘히 챙겨 어렵고 힘든 빈곤층 노인분들에게 실질적인 혜택이 돌아갈 수 있도록 관련법규의 수정 보완 및 운용에 철저를 기해야 할 시점이다.

67.

신년사의 아쉬움

《대한시니어신문》 칼럼 2024.1.8.

윤석열 대통령이 갑진년 새해 첫날인 1일 용산 대통령실 청사에서 신년사를 발표했다. 그런데 신년사를 들으면서 개인적으로는 좀 아쉬운 부분이 남는다.

첫째, 신년사는 새해를 맞아 국정 전반에 대한 운영 방향을 국민들이 이해할 수 있도록 알리기 위한 것이다. 국민이 이해하고 공감하지 못한다면 신년사로서의 의미가 없다. 그런데, 정책의 이상과 방향은 제시돼 있지만 시행 내용이 없어 막연하다는 생각이 든다. 이상과 방향은 얼마든지 좋은 말로 표현할 수 있다. 문제는 그 이상과 방향을 어떤 내용, 어떠한 방법으로 실현시키겠다는 내용이 있어야 한다. 개괄적으로라도 실현 내용이 제시되지 않는다면 국민들이 이해할 수 없고, 이해하지 못한다면 공감할 수가 없다.

예를 든다면, 소상공인과 자영업자들의 금융 부담을 낮추기 위해 정부와 금융권이 힘을 모아 지원한다고 했는데, 무엇을 어떻게 지원하겠다는 건지 알 수가 없고, 또 재개발, 재건축 사업절차를 원점에서 재검토하여 사업속도를 높이겠다고 했는데, 사업속도를 어떻게 높이는 건지, 또 1인 내지 2인 가구에 맞는 소형 주택 공급도 확대하겠다고 했는데, 역시 어떠한 방법으로 얼마만큼 확대하겠다는 건지 등 국민들이 알 수 없고 느낌을 가질 수 없다. 또한 첨단 산업에 대한 촘촘한 지원을 통해 기업이 창의와 혁신을 마음껏 발휘할 수 있도록 한다고 하는데, 그 촘촘히가 무엇을 뜻하는 것인지 또한 알 수 없다.

물론 세세한 구체적인 방법을 원하는 것은 아니다. 세부 시행계획은 각 부처별 업무 보고서에 담겨질 것이다. 그렇지만 국민들은 그 구체적인 업무보고서의 내용을 볼 수도 없고 알 수도 없다.

신년사는 정부 정책에 대한 국민들의 바람이고 희망이다. 막연한 얘기가 아닌, 개괄적으로라도 시행내용과 방법이 제시되어야만 국민들이 공감할 수 있고 희망을 가질 수 있다. 즉 결과적으로 신년사 작성 기술상(skill)의 문제가 아닌가 하는 생각이 든다.

둘째, 모든 국민이 공정한 기회를 누릴 수 있도록 자기들만의 이권과 이념에 기반을 둔 패거리 카르텔을 반드시 타파하겠다고 했다. 그런데 패거리라는 단어는 대통령이 쉽게 사용할 단어가 아닌 것 같다. 패거리라는 말은 '어울려 다니는 무리를 낮잡아 이르는 말'인데, 그 패거리를 적으로 인정하고 편을 가르는 듯한 느낌을 준다. 물론 카르텔 자체는 타파의 대상이 되겠지만, 패거리 자체까지 적으로 생각, 타파의 대상이 될 필요는 없을 것 같다. 물론 그런 뜻으로 표현한 것은 아니겠지만, 그러나 대통령은 극단적인 표현보다는 부드럽고 포용적인 표현을 하는 것이 좋을 것 같다는 생각을 하는 것이다.

셋째, 대한민국은 상대의 선의에 의존하는 굴종적 평화가 아닌, 힘에 의한 진정하고 항구적인 평화를 확고히 구축해 나아간다고 했다. 맞는 말이다. 평화를 갖기 위해서는 힘이 있어야 한다. 힘이 없으면 평화가 존재할 수 없다. 힘이 있는 것만큼 평화는 유지된다. 힘을 키워 나가야 한다. 그런데 상대를 제압할 수 있는 힘은 물론이고 그 위에 포용할 수 있는 힘이 있어야 한다. 평화를 지키기 위해서 힘을 키우는 것이지, 전쟁을 하기 위해 힘을 키우는 것은 아니지 않는가. 전쟁을 원하는 국민은 아무도 없다. 제압할 수 있는 힘을 키운 후에는 전쟁이 아닌 포용정책으로 평화를 지켜야 한다. 그런데 그 포용정책이 없다는 얘기다. 그렇다면 국민은 불안할 수밖에 없다. 전쟁을 원하는 국민은 없기 때문이다.

국민들은 대통령의 신년사를 기대하고 희망한다. 그런데 이해할 수 없고 공감할 수 없는 신년사라면 희망할 수 없다. 그래서 아쉬움이 남는 것이다.

68.

고달픈 사람들

《대한시니어신문》 칼럼 2024.1.2.

2023.12.23.일 자 《조선일보》에 보도된 내용이다.

"지난 19일 새벽 5시 서울 구로구 남구로역 삼거리 인력시장. 체감 온도 영하 11도 추위에도 인력시장 인근 길거리는 일감을 찾아 나온 근로자 400여 명으로 붐볐다. 장갑과 마스크, 귀마개로 중무장한 이들은 거리에 서서 한두 시간씩 자신의 이름이 불리기만을 기다렸다. 폐기름통 속 모닥불로 언 몸을 녹이던 최모(61) 씨는 "추운 것보다 일감이 없는 게 더 무섭지"라고 했다.

새벽 6시 20분쯤 근로자 모집이 마무리되자 일거리를 찾지 못한 근로자들은 "오늘도 허탕이네"라며 지하철역으로 향했다.

강인석(56) 씨는 "한 달에 열흘을 일하면 다행인 상황"이라고 했다. 서울 구로구에 사는 임춘식(58) 씨는 "새벽 4시부터 두 시간째 일감을 기다리고 있는데 "난방비라도 벌어야 한다는 생각에 새벽에

잠도 잘 오지 않는다"고 했다."

고달픈 삶들이다.

아직은 세상이 고요히 잠든 시간이지만, 이같이 바쁘게 살아가는 사람들이 또 많이 있다. 새벽 5시경 전철을 탄다. 이른 시간이지만 수많은 인파에 놀라지 않을 수 없다. 비집고 가야할 정도로 승강장이 꽉 찬다. 피곤하지만 전철에는 앉을 자리가 없다. 그래서 눈을 감고 조는 사람 앞에는 서지 않고, 눈 뜨고 있는 사람들 앞에 선다. 혹시나 자리가 날까 해서다. 어쩌다 임산부 빨간 좌석이라도 비어 있으면 염치 불구하고 모르는 척 앉아 눈을 감는다. 젊은 사람들은 거의 없고, 대부분이 6, 70대의 사람들이다. 한결같이 검은 두터운 방한복에 모자를 쓰고 등짐을 하나씩 메고 있거나 손에 들고 있다. 고달픔에 지쳐 있는 모습들이다. 앉았거나 서 있거나 모두 눈을 감고 대화하는 곳은 없다. 목적지에 도착하면 사람들은 하나둘씩 내려 계단을 올라 칼바람을 맞으며 어둠 속으로 사라져 간다. 모두가 빌딩가에서 일하는 경비원들이나 청소하는 분들이다. 그럼에도 그들이 받는 월급은 고작 130~150만 원 정도다. 젊은 보안경비원들은 법정 보수를 다 받을 수 있지만 나이가 많은 사람들은 현실적으로 그렇지 못하다.

그렇지만 자신들의 삶에 대하여 최선을 다해 살아가는 사람들이다.

분명 이분들은 물질적으로는 가난한 사람들이다. 전세나 월세 방에서 힘들게 살아가는 사람들이다. 그러나 물질적으로 가난하다고 해서 마음까지도 가난하지는 않다. 마음이 부요한 사람들도 많이 있다. 마음에 자유와 평화를 느끼며 살아가는 사람들이 많이 있다. 인간의 가장 기본적인 正道를 지키며 살아가려고 노력하는 사람들이다.

보도에 의하면, 지난 18일 서울 광진구 중곡3동 주민센터 현관에서 저금통과 편지가 발견됐다고 한다. 저금통에는 동전 25만 6,170원과, '사랑합니다'라는 문구가 인쇄된 편지봉투에는 두 장의 손편지와 함께 현금 10만 원이 담겨 있었다. 누군가 35만 원이 넘는 금액을 남기고 간 것이다. 기부자는 자신을 '중곡동 반지하방에 살았던 주민'이라고 소개하면서 그는 "중곡동, 이 동네에서 길지는 않지만 따듯하게 잘 지냈다"고 하는 보도였다. (2023.12.23. 일 자 《조선일보》)

가진 것이 없는 사람들, 힘들게 살아가는 사람들에겐 정과 사랑이 있다. 고달픔과 배고픔과 아픔을 안다. 그래서 그러한 사람들을 이해하고 사랑할 수 있다. 그들에게는 가진 것은 없지만 평안과 평화가 있다. 그러나 가진 것이 많은 사람들, 배가 부른 사람들은 배고픔과 고달픔을 모른다. 그래서 그러한 사람들을 이해할 수 없고 사랑할 수 없다. 평안이 없다.

가난은 물질이 아니다. 이해할 수 없고 용서할 수 없고 나누고 사랑할 수 없는 마음의 가난이 진정한 가난이다.

며칠 전 성탄절이 지났다. 예수님은 가장 낮은 곳에서 가난하게 세상에 오셨다. 그럼에도 세상에 평안과 평화를 주었다. 가진 것은 많지만 평화가 없는 곳이 많이 있다. 물질이 있으니까 가진 것이 많으니까 평안하고 평화가 있을 것이라고 생각한다. 그러나 그렇지 않다. 아이러니 한 일이다. 세밑 한파가 몰아치고 있다. 가진 것이 없는 가난하고 힘들고 고달픈 모든 분들에게 평화와 축복이 있기를 빈다.

69.

성숙되지 못한 권력의 종말

《대한시니어신문》 칼럼 2023.12.26.

5년 전 한 미투(Me too · '나도 당했다'는 뜻의 성폭력 고발 운동) 사건이 있었고, 당시 여당의 유력 대선 주자였던 도지사가 여비서의 성폭행 폭로로 인해 하룻밤 사이에 추락한 사건이 있었다. 미투 사건의 피해자를 돕기 위해 당시 도지사의 수행 · 의전비서였던 사람이 피해자 편에 서기 위해, 8년을 몸담은 도지사 사단에서 이탈해 내부 고발자가 됐고 지난달 미투 사건의 전말을 다룬 책『몰락의 시간』을 펴냈다. 그리고 지난 2023.12.9일에《조선일보》와의 인터뷰 내용이 소개됐다.

기사 내용을 보면서 지난 일이지만 다시 생각났다.

모든 권력에는 권력에 맞는 성숙된 인격이 있어야 한다. 성숙된 인격이란 권력에 도취되지 않고, 이성(理性)이 흔들리지 않는 인격을 말한다. 권력에 도취되면 술에 취하듯 이성이 흐려지고, 교만에 빠지게 된다.

성숙되지 못한 자의 권력은 마치 어린아이에게 칼을 쥐여 준 것과 같고, 술에 취한 음주 운전과도 같다. 주변의 것들이 소유물처럼 생각되고, 무엇이든지 마음대로 할 수 있는 것처럼 착각도 한다.

이성(異性)에 대해서도 마찬가지다. 자신이 원하는 대로 할 수 있다고 생각하기도 하고, 불가능하거나 비도덕적이라는 생각이 들어가지 않는다. 당연한 것처럼 착각한다. 물론 모든 대상이 다 그렇다는 것이 아니고 업무와 밀착돼 있는 경우 더 그렇다.

보도됐던 도지사의 경우도 마찬가지다. 제왕적 권력에 취한 그는 여비서가 소유물처럼 생각됐고 자신은 그렇게 할 수 있다고, 가능한 것이라고 생각했다. 잘못이거나 비도덕적이라는 생각이 들어가지 않았다. 그것이 바로 성숙되지 못한 자들의 권력이다. 권력이 없었다면 도취될 일도, 잘못된 일도 없었을 것이다.

수신제가치국평천하(修身齊家治國平天下)다. 修身도 안 돼 있고, 부인과는 이혼까지 했으니, 齊家도 안 돼 있다. 그런데 그 사람이 당시 차기 대선주자의 유력 후보자였다고 하니 웃지 않을 수 없다.

이러한 비인격적 지도자들의 (기보도 됐던) 미투사건이 또 있었다. 모두 도·시정(道·市政)의 책임자들이었고, 인권운동을 했다고 하는 사람들이다. 차마 입 밖에 내기조차도 부끄럽고 추한 행동들이었다. 이러한 사람들이 민주화 운동을 하고, 인권운동을 하고, 공직을 맡고 국민들을 위해서 일한다고, 직원들을 통솔하고 지시하고 명령하니 그런 양심이 어디서 나올 수 있는 건지 이해가 되지 않는다.

한 점 부끄러움이 없어야 한다. 그때에 민주화 운동도, 인권운동도,

자신 있는 업무 추진도 할 수 있고, 지휘 감독도 할 수 있다. 그럼에도 그들의 뻔뻔함, 양심의 가책을 느끼면서도(?) 당당한 것처럼 행동할 수 있는 것에 대해서는 대단하다는 생각이 들어간다. 뻔뻔스러울 수 있는 것도 쉬운 일이 아니기 때문이다.

진정한 민주화 운동이 무엇인지, 진정한 인권의 의미는 무엇인지, 또한 약자들의 아픔과 고통이 무엇인지를 알았으면 좋겠다. 약점을 이용하여 아픔을 짓밟고 자신의 욕구만을 채우는 것이 민주화 운동이 아니고, 인권 운동이 아님을 알았으면 좋겠다. 민주화 운동이란 말로, 인권이란 말로 포장하여 자신들의 양심을 속이는 일이 없었으면 좋겠다.

아울러, 하늘은 결코 무심하지 않다는 것도 알았으면 좋겠다. 도취되었던 일들이, 영원히 감춰졌다고 생각됐던 일들이 그대로, 또 아픔을 주었던 것만큼, 고통을 주었던 것만큼, 속이고 교만을 떨었던 것만큼 그대로, 다시 돌아오고 종말은 비참하다는 것도 알았으면 좋겠다.

성숙되지 못한 자의 권력은 권력이 아니다. 어린아이에게 칼을 쥐여 준 것과도 같고, 이성을 잃은 음주 운전과도 같다.

70.

어느 노배우(老俳優)의 삶

《대한시니어신문》 칼럼 2023.12.18.

영화배우 신영균 씨 하면 어린 시절 추억 속의 국민배우로 생각난다. 서글서글한 눈매와 얼굴 표정, 그리고 활달한 연기는 모든 국민들에게 친근감을 줬다. 잊힌 옛날 배우지만 2023.12.4일 자 《조선일보》 기사를 보면서 96세의 그의 건재한 근황을 알 수 있었다. 기사를 읽어 내려가는 동안 '참 멋지게 사시는구나', '멋진 인생이다'라는 생각을 하게 된다.

그는 약 300편의 영화를 찍었다고 한다. 그중 1960년대의 국민들 추억 속에 남아 있는 작품들로서는 뭐니 뭐니 해도 파일럿 '빨간 마후라', '연산군', '과부', '미워도 다시 한 번' 등은 당시 신영균 씨의 서글서글한 눈빛의 향수를 다시 불러오게 하는 작품들이다.

그는 많은 재산을 사회에 기부하고 있다.

그는 처음, 50년 함께 살아온 아내와의 계획했던 금혼식을 취소하고, 불우이웃 돕기에 1억 원을 기부한 것이 시작이 되어, 그 뒤로 500억 원

상당의 명보극장을 기증했고, 100억 원 이상 들어간 제주의 영화박물관을 기증했으며, 모교인 서울대와 명예박사 학위를 준 서강대, 그리고 각종 구호 성금과 탈북 학생 장학금 등에도 각각 수십억 원씩을 기부했고, 근일에는 이승만 대통령 기념관 부지로 고덕동의 4,000평의 땅도 내놓기로 했다고 한다.

그는 젊은 시절 많은 사업을 했는데, 하는 일마다 너무 잘됐다고 한다. 자기 스스로도 '이렇게도 잘될 수 있나' 할 정도로 모든 사업이 잘돼 많은 돈을 벌 수 있었다고 한다.

필자는 그의 멋진 삶을 보면서 생각해 봤다. 참, 멋진 인생이다. 어떻게, 이렇게 멋지게 살 수 있을까. 하는 일마다 잘되고 그래서 많은 돈을 벌어 멋지게 기부하며 인생을 살 수 있을까 하고 생각해 봤다. 그리고 그 이유의 몇 가지를 그의 삶 속에서 찾아 봤다. 물론 필자의 생각일 뿐이다.

우선 그는 머리도 좋은 것 같다. 고등학교를 졸업하고 2년 동안 연극단을 쫓아다니다가 1년 다시 공부해서 서울대 치대에 갈 수 있었다니 머리가 좋은 분 같기도 하고, 그리고 심성도 참 좋은 분 같다. 왜냐하면 보통은 배우가 인기가 있으면 스캔들도 당연히 따르게 마련인데, 그의 말대로라면 그는 '오직 아내 하나만을 알고 살았다'고 하니, 물론 독실한 기독교인이기도 하지만 심성이 참 좋은 분 같다는 생각을 하게 된다.

그런데 무엇보다도 그의 멋진 인생을 만든 것은 그의 성품인 것 같다. 영화 작품 속에서도 그의 이미지를 느낄 수 있듯이 그는 긍정적이고 낙천적인 성품인 것 같다. 그는 얘기한다.

"항상 좋았어요. 이북에서 어머니 손 잡고 서울에 올 때도, 아버지가 없어서 어머니가 고생할 때도 힘들다는 생각은 안 했어요. 그저 그대로 열심히 살았어요. 인생은 아름답죠. 죽고 싶다, 이런 적은 단 한 번도 없었네요. 인생이 엄청 짧아요."

"나쁜 일 있으면 금방 잊어버리고 좋은 일만 생각해요. 오래 꽁하질 않아요. 그게 건강 비결 아닐까요."

또 요즘에는 "매일 사무실에 와서 앉아 있다가 점심 때는 중식당 가서 빠짐없이 사람을 만나요." 등등은 그의 성품을 말해 주고 있는 것이다.

(《조선일보》 2023.12.4)

필자의 생각에는 그의 주변에는 많은 사람들이 모여들 것만 같다. 물론 인기 있는 배우인 것도 이유가 되겠지만 성품 자체가 사람들이 좋아하는 성품일 수밖에 없다. 사업은 사람과의 관계다. 사람이 없는 사업은 있을 수 없다. 특별한 성품이 아니라 그냥 일반적인 보통의 무난한 성품인데, 실은 그 무난한 성품 자체가 갖기가 쉬운 것이 아니다.

긍정적인 성품, 낙천적인 성품은 바로 모든 사람들을 의심하지 않고 믿을 수 있는 성품이다. 그리고 그 믿을 수 있는 성품은 나의 것을 맡기고 의지할 수 있는 성품이기도 하고, 맡기고 의지할 수 있는 성품은 바로 사람들을 사랑할 수 있는 성품이기도 하다. 믿을 수 있다는 것은 사랑할 수 있는 것이고, 사랑한다는 것은 믿을 수 있기 때문이다.

그분의 그러한 긍정적이고 낙천적인 성품 때문에 사람들을 믿고 사랑할 수 있었고 그래서 또한 많은 사람들이 그를 좋아할 수밖에 없었으며 그리고 그의 주변에는 항상 사람들이 많을 수밖에 없어 하는 모든 사업마다 성공할 수밖에 없었던 것이 아닌가 하고 필자만의 생각으로 생각해 본다. 물론 그분이라고 해서 삶에 실패와 아픔이 없었겠냐만은 그러나 근황에도 그분의 낙천적인 표정과 활기찬 모습을 보면 가히 그렇게 연관지어 생각해 볼 수 있다는 얘기다.

아무튼 멋진 삶을 살고 계시다.

다시 한 번 축하드리고, 더욱 건강하시고 행복하시기를 기원 드리는 바이다.

71.

망언망동 (妄言妄動)

《대한시니어신문》 칼럼 2023.12.11.

"추미애 전 법무부 장관의 북 콘서트에 참석한 함세웅 신부가 문재인 전 대통령과 이낙연 전 국무총리를 겨냥해 "방울 달린 남자들이 여성 하나보다 못하다"며 추 전 장관을 추켜세웠다. 추 전 장관이 재직 시절 윤석열 검찰총장과 맞서 싸울 때 문 전 대통령과 이 전 총리가 제 역할을 하지 못했다는 취지로 주장을 하면서다.

그러면서 함 신부는 "그 당시에 문재인 대통령, 이낙연 총리 또 무슨 비서관들 장관들 다 남자들"이라며 "그 여성의 결단을 수렴하지 못한 게 지금 이 윤석열 검찰 독재 정권을 가져왔지 않느냐. 이건 우리 모두가 속죄를 해야 한다"고 했다. 함 신부는 또 윤석열 대통령을 겨냥해 "이 괴물이 지금 정치를 하고 있지 않느냐"며 "너무너무 가슴이 아프고 찢어진다"고 했다."

지난 2023.11.30일 자 《조선일보》에 보도된 내용이다. 기사를 접하면서 놀라움을 금할 수 없었다. 성직자의 언행이라고는 도저히 믿을 수가 없다. 교회가 할 일이 있고, 성직자가 할 일이 따로 있을 텐데, 왜 정치판에 끼어들려고 하는 건지, 안타깝다는 생각이 든다. 그분들은 이렇게 생각하는 것 같다. 자신들이 옛날 구약시대의 한 예언자적 역할을 하고 있다고 생각하는 것 같다. 그렇게 생각한다면 착각이다. 모든 권한이 임금에게 집중돼 있던 구약시대에는 견제 기능이 예언자밖에 없었다. 그래서 예언자들이 임금의 잘못을 지적하고 책망했던 것이다. 그러나 구약시대가 아닌 현세에는 모든 권한과 일이 분권·분업화되어 있고 책임도 지게 되어 있다. 입법기능이 있고 집행기능이 있고 사법기능이 있으며 잘못을 지적하고 처벌하는 기능 또한 따로 있다.

마찬가지로 교회는 교회 기능이 있다. 교회가 할 일은 정치 참여가 아니라 성무 집행이다. 그런데 왜 상식 밖의 망언망동들을 하는 건지 모르겠다. 그렇다면 성무에는 충실히 최선을 다하고 있는 건지. 요즘에는 퇴직한 성직자들도 단순히 은퇴자라 하지 않고, 원로 사목자로 부른다. 퇴직 후에도 사목에 최선을 다하라는 얘기다.

그리고 성직자는 성직자다운 표현을 해야 한다. 방울 두 개라는 저급한 표현은 듣는 이의 귀를 의심케 한다. 성직자로서의 표현이 맞는지. 어디에서도 성스럽고 품위 있는 행동과 모습은 찾아볼 수가 없다. 성직자들이 착각하는 것이 있다. 교회 내에서 신자들이 성무에 관련해 순명하는 것을 자신들의 개인적 권위에 순명하는 것으로 착각해, 무슨 말을 하고 무슨 행동을 한다 해도 다 순명한다고 생각하는 것 같다. 착각이다. 그것은 그만큼 개인적 권위가 아닌 신자들의 신심(信心)의 도(度)가

높아졌다는 얘기다. 또 이 발언이 사회적 물의가 되고 있는 것은 여성에 대한 비하 내용이다. '방울 달린 남자들이 여성 하나만 못하다'는 얘기다. 시대에 뒤떨어진 사고다. 부끄럽다.

또 한 나라의 대통령을 괴물이라고까지 표현한다. 저급하다 못해 사회 조폭의 원로인가 하는 생각까지 든다. 아무리 맘에 들지 않는다고 해도 대통령을 어떻게 괴물이라고 표현할 수 있는 건지. 그리고는 "우리 모두 속죄해야 한다"고 한다. 뭘 속죄해야 한다는 건지, 속죄라는 말을 아무 때나 쓸 수 있는 말인지 모르겠다. 기사를 접하고 기사에 대한 댓글을 봤다. 비난의 소리가 폭발적으로 늘어나고 있다.

이분은 구국 기도도 하지 않는 모양 같다. 적어도 구국기도를 하는 성직자라면 중심에 통치자가 존재할 텐데 그런 통치자를 어떻게 괴물이라고 표현할 수 있는 건지. 그러고도 기도가 될 수 있는 건지.

대통령이 만능일 수는 없다. 대통령이 맘에 안 들 수도 있다. 그러나 모든 권력은 정당한 심판을 받기 전까지는 존중돼야 한다. 맘에 들지 않는다고 해서 성직자가 그렇게까지 선동적인 표현을 할 수 있는 것인지. 집권한 지 얼마 안 된 대통령을 괴물이라고까지 표현할 필요가 있는 것인지. 그러고도 어떻게 70번까지라도 용서하라고 할 수 있는 것인지.

성무는 이해와 용서와 사랑이다. 각자 맡은 일에 책임과 의무를 다하는 것이 사랑이다. 남의 일에 간섭하고 잘못을 들추어내고 저주하고 욕하는 것이 성무가 아니다.

괴물은 어쩌면 성직자가 교회가 아닌 정치판에 끼어들려고 하는 자체가 괴물이라고 생각될지도 모른다.

72.

실패는 결과가 아니다

《대한시니어신문》 칼럼 2023.12.5.

승용차 포니를 탄생시킨 이충구(78) 전 현대차 사장의 인터뷰 내용이다. (《조선일보》 2023. 11. 25.)

"1974년 현대차 엔지니어 다섯 명이 난생처음 국제선 비행기를 타고 이탈리아로 갔습니다. '한국의 첫 고유 모델 차를 개발하라'는 특명을 받았죠. 당시 한국은 자동차를 어떻게 만드는지도 몰랐어요. 자동차를 직접 만든다고 하니 모두 '말도 안 된다''미쳤다'고 했어요.

외국인들은 한국이 어디 붙어 있는지조차 몰랐고, 우리는 자동차 도면도 잘 이해하지 못했습니다. 서로가 '맨땅에 헤딩'이었죠. 우리는 이탈리아 장인들이 설계 · 디자인을 하는 걸 종일 들여다보면서 닥치는 대로 배우고, 수없이 따라 그리고 적었습니다. 말이 안 통해 몇 번씩 묻고, 밤새워 사전을 뒤져가며 기록했어요.

이렇게 1년간 이탈리아 기술 노하우를 빼곡히 볼펜으로 적은 노트들은 귀국 후 신차 설계에 필요한 시설을 구축할 기초 자료이자 후배 엔지니어들의 개발 지침서가 됐고, 그렇게 해서 포니가 1976년에 첫 출시되게 됐습니다."

그러면서 자동차에 대해서는 현대그룹 창업자인 고(故) 정주영 명예회장의 '도전 정신'을 빼고는 말할 수 없다고 얘기한다. '왕 회장'의 자동차에 대한 애정과, 기술에 대한 호기심, 긍정적 사고, 그리고 포기할 줄 모르는 도전 정신이 없었다면 오늘의 현대 차가 있을 수 없다는 얘기다.

(故) 정주영 회장의 도전정신에 관련된 얘기들은 많이 있다. 아는바와 같이 1970년대 초 조선소도 없고 배 한 척 만든 경험도 없을 때, 조선소 건립을 위한 영국은행 차관을 얻기 위해 500원짜리 동전의 거북선을 보여 주며 우리가 자본은 없지만 기술은 있다고 말해, 애플도어의 롱바통 회장의 추천서를 받아 내고, 영국 수출신용국(ELGD)의 보증을 받기 위해, 선박왕 오나시스의 처남 리바노스로부터 25만 9천 톤급의 배 2척에 대한 先 주문서를 제출해 결국 차관을 받고 조선소를 지을 수 있었다.

또 박정희 대통령이 중동건설 진출을 위해 한 기업의 대표를 출장 보냈는데, 귀국 보고는 부정적이었다. 일 년 내내 비가 오지 않고 뜨거운 날씨가 계속되며 모래사막뿐이라고 했다. 해서 박정희 대통령은 정주영 회장을 다시 보냈다. 귀국보고는 정반대였다. 일 년 내내 비가 오지 않으니 계속 일할 수 있어 공기를 단축시킬 수 있고, 공사에는 모래가 필요한데 사방에 깔린 것이 모래다. 또 뜨거우니 낮에는 잠자고 밤에 일하면 된다고 해, 박정희 대통령은 현대건설의 중동진출을 적극 지원했다는 얘기.

천수만의 빠르고 강한 조류 때문에 제방 구축에 실패를 거듭하자, 돌과 바위를 가득 채운 폐선박을 가라앉혀 사투 끝에 결국 물살을 막아내고 제방을 구축해 약 4,700만 평에 이르는 새로운 땅을 확보하게 된 일도 있다.

그 외에도 "이봐, 해 봤어?"라고 하는 다섯 글자는 명언처럼 되기도 했다. 실패해도 나중에는 그것이 자양분이 되어 자산이 된다는 얘기다.

도전하지 않으면 실패는 없다. 그래서 실패에 따른 아픔 또한 없다. 그러나 도전하면 실패할 수 있고 그래서 실패에 따른 아픔도 있을 수 있다. 물론 성공할 수도 있고 그래서 성공의 기쁨도 누릴 수 있다. 그렇다면 어느 길을 택할 것인가. 처음부터 아픔이 없는 길을 택할 것인가, 아니면 도전할 것인가.

그러나 도전하지 않는 것은 죽음과 같은 것이다. 살아 있다는 것은, 생명이 있다는 것은 바로 도전하기 위한 것이고 창조하고 번성하고 발전하기 위한 것이다. 그것이 존재의 의미다. 도전에는 성공만 있는 것이 아니고 실패도 있을 수 있다. 당연한 것이다. 그런데 실패는 결과가 아닌 과정일 뿐이다. 결과라고 생각하는 사람에겐 실패가 되지만, 과정이라고 생각하는 사람에겐 성공으로 가는 과정일 뿐이다. 또한 실패에는 없어서는 안 될 가치가 있다. 성공의 가치가 있듯이 실패의 가치가 있다. 연마는 실패와 시련과 고통 없이 연마될 수 없다. 하나의 돌이 부딪치고 깎이는 아픔을 거쳐 연마되고 조약돌이 되듯이 실패와 시련과 고통의 과정을 거쳐 인간은 다듬어지고 완성된다. 시련의 과정 없이 연마되고 완성될 수 없다.

실패는 결과가 아닌 과정이다. 아픔이 없는 안일한 길이 아닌, 실패와 아픔이 있는 도전의 길을 택해야 한다.

73.

법카의 진실

《대한시니어신문》 칼럼 2023.11.27.

공익 제보자인 전 경기도청 7급 공무원 조명현 씨의 인터뷰 답변 내용이다. (2023.11.18.《조선일보》)

"경기도지사 공관에 넣을 샌드위치와 과일 등을 픽업해 냉장고에 채웠다. 이재명 지사의 와이셔츠를 세탁소에 맡겼고 속옷을 빨기도 했다. 성남시 수내동 이재명 지사 자택으로 올라갈 초밥, 소고기 등도 부지런히 실어 날랐다.

명절 선물부터 제사 음식까지 준비했다. 공식적으로는 비서였지만 실제로는 하인, 공노비와 같았다.

주말에는 일단 우리 개인 카드로 긁고 평일에 가서 취소한 뒤 법카로 다시 긁었다.

청담동 샴푸, 김혜경씨 생일 선물 등 법카로 살 수 없는 물품들은 여러 부서에서 갹출한 업무 추진비나 출장비로 구매했다. 김혜경씨가 공관에 다녀가는 날이면 냉장고가 텅텅 비었다. 배씨가 '음식을 많이 채워두지 마라. 다 가지고 가니, 적당히 넣어 두라'고 할 정도였다.

수내동 자택으로는 6~7인분이 올라갔다. 그 많은 음식은 누가 다 먹었을까? 아직도 미스터리다."

이재명 법카 사용에 대해서는 아직 사법적 판단이 나오지는 않았지만, 공익제보자 조명현 씨의 말이 진실이라면 정말 이럴 수가 있는가 하는 생각이 든다.

조명현 씨는 『한 번도 경험해 보지 못한 법카』라는 회고록을 출간하기도 했다.

공직자로서 갖추어야 할 가장 중요한 덕목은 청렴이다. 또 공무원 의무 중 하나이기도 하다.

그런데 얘기가 사실이라면, 첫 번째로 느껴오는 것이, 공직자 이전에 인간으로서의 기본 자질이 안 돼 있는 사람이라는 생각이 든다. 초밥, 샌드위치, 샴푸 등 생필품의 비용이 얼마가 되는지는 모르겠지만 많든 적든, 도지사의 월급이 아닌, 국민의 혈세로 일말의 양심도 없는 행위를 이렇게 할 수 있는 건지, 또 "법카로 살 수 없는 물건에 대해서는 각 부서 출장비 등에서 갹출했고, 제사상 물건도 구입했으며 이재명의 속옷까지도 빠는 하인과 같은 생활을 했다"고도 하니, 공직자로서는 도저히 상상도 할 수 없는 저급한 행위에 대해 인간적 연민마저 느끼지 않을 수 없다.

두 번째 느끼는 것은, 공직 사회가 이렇게까지 부패돼 있나 하는 것이다. 조명현 씨를 포함, 그 일을 직접 담당했던 공무원 몇몇은 물론이고, 비서실 전체 직원들이 이 일에 대해서 모를 리 없고, 예산 배정을 주관하는 부서에서도 모를 리 없었을 것이다. 그럼에도 불구하고 당연한 관행처럼 누구 하나 제지하는 사람 없이 침묵하고 있었다는 것은 그만큼 공직사회가 불감증으로 부패돼 있다는 방증이 아닐까.

세 번째로, 공직자는 국민에 대해 봉사하는 사람들이고 무한의 책임을 지는 사람들이다.

그런데 이것이 사실이라면 위험천만한 사람이구나 하는 생각이 든다. 이런 사람이 만약 국가의 최고 책임자라도 됐다고 한다면 어찌 됐을까. 법과 규정 안에서 공정하고 정의롭게 국민을 위해 봉사할 수 있었을까 하는 생각이다. 불가능한 일이다. 그것은 마치 가시나무에서 좋은 과실을 원하는 것과도 같은 것일지도 모른다. 불가능이 아니라 할 수 없는 일이다.

공직자는 청렴해야 한다. 청렴하지 않고는 국민을 위해 일할 수 없고, 공정하고 정의롭게 일할 수 없으며, 책임도 질 수 없다. 공직자의 기본자세다.

다산(茶山) 정약용의 얘기다.

"목민관은 오로지 정기(正己)와 청백으로, 청렴하지 않고는 능히 수령 노릇을 할 수 없다."

74.

신념과 성공

《대한시니어신문》 칼럼 2023.11.20.

항저우 아시안게임 은메달리스트 주재훈 선수에 대한 얘기다. (《조선일보》 2023.11.5.)

양궁계의 이단아로 불리는 주재훈 선수는 활을 잡은 지 7년 만에 가슴에 태극 마크를 달았다. 그리고 처음 출전한 항저우 아시안게임에서 은메달 두 개를 목에 걸었다. 훈련장도 없이 버려진 축사가 그의 유일한 훈련장이었다.

양궁 동호회 출신인 그가, 전문 교육이라곤 받아본 적 없는 그가 엘리트로 육성된 선수들 틈에서 아시안게임 메달을 딴 것이다.

주 선수는 청원경찰(한국수력원자력 한울본부)로 일했고 집에선 두 아들의 아빠다. 주말에는 소를 키우는 부모를 도와 축사에서 일하지만 눈이 오나 비가 오나 바람이 부나 하루도 빠짐없이 그는 활시위를 당겼다.

연습 장소가 마땅치 않아 공터를 찾아다닐 때는 "남의 땅에서 뭐 하냐"며 혼나고 쫓겨나기 일쑤였고, 아버지의 꾸지람을 피해 산속을 돌아다녔다. 그러다 동네 삼촌이 빈 우사를 내줬다. "지붕이 있는 그곳이 저에게는 최고의 양궁장이었죠."라고 말한다. 7년간 각종 대회에서 딴 메달이 100개가 넘었고 여섯 번 도전 끝에 국가 대표의 꿈을 이뤘다.

"좋아하는 일을 하고 싶다는 열망이 있다면 노력은 결코 결과를 배신하지 않아요. 시작하지 않으면 자신에게 재능이 있는지 없는지조차 몰라요. 하고 싶은 게 있다면 한 발짝만이라도 시작해 보세요. 큰 선물이 기다리고 있을지 누가 압니까." 주재훈 선수의 말이다.

참으로 대단한 선수다. 전문 교육도 받지 않고, 연습장도 없이 단순히 동호회에서 쌓은 실력만으로 6번의 도전 끝에 국가대표가 될 수 있었다는 것은 정말 대단한 일이 아닐 수 없다.

주재훈 선수는 양궁을 즐기는 사람이다. 즐기는 사람을 이길 수는 없다고는 한다. 그런데 즐기는 것만으로 성공할 수 있을까. 성공에는 여러 가지 원칙들이 있다. 예를 든다면 첫째, 하는 일에 자신감을 가져라. 둘째, 뚜렷한 목표 의식을 가져라. 셋째, 성공에 대한 믿음을 가져라. 넷째, 전 에너지를 목표에 집중하라. 다섯째, 시련을 두려워하지 마라. 여섯째, 변화에 신속히 적응하라. 일곱째, 설득력을 연마하라. 여덟째, 파트너십을 중요시하라. 아홉째, 리더십을 발휘하라 등등이다.

모든 법칙들이 다 중요한 얘기들이다. 그러나 필자는 이들 원칙 외에

한 가지 더 추가하고 싶은 것이 있다. 다름 아닌, 성공하기 위해서는 무엇보다도 성공에 대한 신념을 가져야 한다. '신념이란 하나의 목표를 정해 놓고 그 목표를 기필코 '해 내고야 말겠다'는 강한 의지와 의욕'을 말하는 것이다. 여기서 '기필코'의 의미는 '이미 이루어진 상태'의 의미와 동의어다. 그러나 중요한 것은 단순히 의지만으로는 이루어 낼 수 없고, 신념의 의지가 自己化, 生活化돼야 한다.

신념이 없다면 아무리 즐긴다 하더라도, 자신감을 갖고 목표의식을 갖는다 하더라도 또 설득력과 파트너십을 중요시한다 하더라도, '기필코 해내고야 말겠다는 강한 의지, 의욕' 없이는 성공할 수 없다.

주재훈 씨는 즐기는 사람이다. 그러나 즐기는 가운데 신념이 있다. 그는 여섯 번 도전 끝에 국가 대표의 꿈을 이루어 낼 수 있었다는 그것이 신념의 의지를 말해 주고 있는 것이다.

기필코 해내고야 말겠다는 신념이 없었다면 한낱 취미 생활에 그쳤을지도 모른다.

우리는 '이미 이루어 냈다'는 신념을 가지고 목표를 이루어 내야 할 것이다.

75.

노블레스 오블리주

《대한시니어신문》 칼럼 2023.11.13.

2023.11.6일 자 《조선일보》에 보도된 내용이다.

"유한양행 창업주인 유일한 박사가(柳一韓 · 1895~1971) 대한민국 노블레스 오블리주의 상징이 된 건 손녀의 대학 학자금 1만 달러를 제외한 전 재산을 사회에 내놓은 데 있다.

기업과 학교에 친인척들이 얼씬 못 하게 했고, 경영 철학에 맞게 회사가 굴러가는지 지켜보는 사명을 맏딸에게 맡겼는데 딸 또한 1991년 세상을 떠나면서 전 재산을 유한재단에 기부했다.

정치자금을 헌납하라는 정권의 요구를 거절해 세무조사를 받았을 때 아무리 털어도 먼지 한 톨 안 나와 세무당국이 당황했다고도 한다.

사업과 정치가 같이 가면 안 된다는 것이 신념이었고, 정치자금 대신 정직한 납세가 애국이라고 믿었다.

유일한 박사는 모든 직원이 능력을 발휘할 기회를 가져야 한다고 했고 가족이나 친인척이 회사에 버티고 있으면 아무리 능력이 뛰어나도 저 자리까지는 못 올라가겠구나 하는 생각에 좌절하고 날개를 펼칠 수 없다고도 했다."

물론 자신의 재산을 사회에 환원한 사람들이 많이 있다.

고 이건희 삼성 회장의 유족이 낼 상속세와 사회환원 재산은 그 규모에 놀라지 않을 수 없다. 12조 원이 넘는 상속세와, 돈으로 환산할 수 없는 국보와 보물을 망라하는 국가지정 문화재는 물론, 인류 예술사의 걸작까지 1만 1,000여 건, 2만 3,000여 점에 달하는 국내외 문화재와 예술품의 국가 기증이다.

또 대한민국 초대 대통령인 이승만 대통령 기념관 건립 추진에 원로배우 신영균 씨는 서울 강동구의 사유지 4,000평을 기념관 부지로 기부하겠다는 뜻을 밝히는 등 많은 사람들이 자신의 재산을 사회에 환원했고 또 약속했다.

유한양행 창업주 유일한 박사는 1895년 1월 15일 평안남도 평양에서 출생했다.

유한양행과 학교재단 유한재단을 설립한 한국의 기업가이자 교육자다. 일제강점기에는 독립운동에도 헌신했다.

1927년 서울 종로 2가에 유한양행을 창립했고 특히 유한양행에서 제조한 안티푸라민은 가정상비약으로 많은 인기를 받았다.

대한상공회의소가 창설되자 초대회장이 되었고, 이승만 정권이 들어서면서 초대 상공부 장관으로 추대되었으나 이를 거절하여 감시의 대상이 되기도 했다.

1962년에는 민간기업으로는 두 번째로 기업을 공개하여 투명경영을 실현했고 정직한 세금납부로 산업훈장도 받았다.

인재양성에도 힘써 1963년 개인소유주식 1만 2천 주를 연세대학교에 장학기금으로 기부했고 1965년에는 개인주식 5만 6천 주를 팔아 학교법인 유한재단을 설립하고 영등포에 유한공업고등학교를 건립했다. (네이버 지식백과 참고)

참으로 존경스러운 분이다. 또한 대단한 가족들이란 생각을 갖지 않을 수 없다. 부와 명예와 권력은 얻기도 어려운 일이지만, 얻은 부를 버리고 포기할 수 있다는 것은 더더욱 어려운 일이 아닐 수 없다. 손녀 학자금 1만 달러만을 제외하고는 전 재산 모두를 사회에 환원했다. 이승만 정권 때에는 초대 상공부 장관 자리도 추대받았지만 권력과 명예도 버릴 수 있었다. 그분의 가족들 또한 대단하다. 가족들은 말한다. "스스로 능력이 있어야지, 누가 죽기만을 기다렸다가 유산을 받는다는 건 우리 가족에겐 있을 수 없는 일이다."라고 얘기했고, 맏딸 역시 전 재산을 유한재단에 기부했다.

단순한 인간의 생각이나 의지력만으로는 할 수 있는 일이 아니다. 초인적 생각과 행동이 아닐 수 없다. 물론 선대로부터 독실한 기독교 가정이었다. 기독교적 사고와 신념이 아니었나 생각된다.

요즘 부도덕한 기업들이 얼마나 많은가. 또 부패된 정치인들도 많다.

또 남에 대해서는 전혀 생각지도 않고 오직 자신의 이익만을 위해 살아가는 사람들이 얼마나 많은가. 귀감(龜鑑)이 되는 유일한 박사의 삶을 우리 사회가 결코 잊어서는 안 되고, 길이 기려야 할 것이다.

76.

'어떻게 사느냐'이다

《대한시니어신문》 칼럼 2023.11.6.

2023.10.28일 자 《조선일보》에 난 기사다.

"지난 6일 오후 서울 강남구 삼성동 강남힐링센터. 60대 이상 어르신 15명이 책상에 앉아 '웰다잉(Well-dying)' 강의를 듣고 있었다. 어르신들은 마지막 순간을 떠올리며 자신이 생각하는 죽음, 자신이 살아온 이야기 등을 엔딩 노트에 작성했다. '사람은 살아온 모습 그대로 죽음을 맞이한다, 잘 살아야 잘 죽을 수 있다'는 내용이 적혀 있었다.

서울 강남구에 사는 김명희(59) 씨는 올해만 웰다잉 강의를 두 번째 듣고 있다고 한다. 이전 강의에서 찍었던 영정 사진을 안방에 걸어 두고, 매일 아침 '하루를 잘 살아야겠다' 다짐한다고 했다. 그러면서 "주어진 시간만큼 살다 가는 것이 지극히 자연스러운 과정"이라고 했다.

보건복지부에 따르면 웰다잉의 첫걸음인 사전 연명 치료 중단 의향서 누적 등록자 수는 201만에 이른다고 한다.

한편 무의미한 연명 치료를 받는 대신 호스피스 완화 치료를 결정한 어르신들도 있다고 한다."

기사에 따른 댓글들도 많았다.

"맡은 바 일을 열심히 하다 죽으면 그것이 존엄사가 아니겠는가? 군인이 군복을 입고 적과 싸우다 전사하면 존엄사이고, 경찰이, 소방관이 제 소임을 다하다 죽으면 그 또한 존엄사 아니겠는가."

또는 "영혼의 문제를 해결하지 못한 웰다잉은 육신만을 생각하는 짧은 견해가 아닌가".

또 "죽음은 삭제가 아니다." 등등.

웰다잉은 존엄한 죽음이다. 그런데 웰다잉에 대하여 잘못 이해하는 경우가 있다. 웰다잉이 단순히 본인이나 주변 가족들에게 고통이나 부담을 주지 않고 존엄하게 죽어가는 것이라고 생각해, 무의미한 연명치료 같은 것은 받지 않는다고 하는 경우다. 현재 연명치료 중단 의향서를 작성한 사람만도 누적 201만 명에 이르며, 연명치료 대신 호스피스 완화치료를 원하기도 한다고 한다.

그런데 웰다잉이란 단순히 주관적 고통 없이, 그리고 객관적 추한 모습이나 주변에 부담을 주지 않고 죽는 것만이 웰다잉은 아니지 않는가 생각된다. 그것은 웰다잉의 극히 부분적인 얘기일 뿐이다. 이유는 우리는 삶이 무엇인지 아울러 죽음이 무엇인지를 모르고 살아간다. 물론 그것을 알 수 있는 사람은 아무도 없다. 그런데 삶과 죽음도 모르면서 웰다잉에 대해 쉽게 얘기할 수 있는 것인지 하는 것이다.

필자도 웰다잉에 대해 강의도 받아 봤고 캄캄하고 답답한 관속에 들어가 실습도 해 봤다. 그런데 당시의 느낌은 단순히 우리가 바쁘게 살아가면서 잊고 있던 죽음에 대해 잠시 생각해 보는 기회, 그 이상 그 이하도 아니라는 생각이 들었다.

단순히 고통 없이 죽는 것이 웰다잉은 아닌 것 같다. 진정한 웰다잉은 삶이 무엇인지, 삶의 이유가 무엇인지, 죽음의 의미는 무엇인지를 생각하는 것부터 시작하는 것이 아닌가 생각된다.

진정한 웰다잉은 죽는 순간이 아니라, 평소 살아오는 과정이 웰다잉의 시작이고, 어떻게 죽느냐가 아니라, 어떻게 사느냐인 것이다. 즉 어떻게 죽느냐 하는 것은 어떻게 사느냐에 달린 것이라는 얘기다.

웰다잉은 죽는 순간에 결정되는 것이 아니라, 어떻게 살아왔느냐에 따라서 결정된다.

죽는 순간에 고통스러우냐 아니냐, 주변 사람들에게 고통을 주느냐 아니냐, 그래서 그 순간 존엄하게 죽느냐 아니냐가 기준이 아니라, 살아온 삶 자체가 웰다잉의 기준이 되는 것이다.

존엄 있게 살아왔다면 죽는 순간 다소 고통이 있다 하더라도 그 죽음은 존엄한 죽음이 되겠지만, 존엄하게 살아오지 못했다면 죽는 순간 고통이 없거나 주변 사람들에게도 고통을 주지 않는다 해도 존엄한 죽음이라고 말할 수는 없을 것이다.

웰다잉은 품위 있고 존엄하게 생을 마감하는 것이다. 진정한 웰다잉은 어떻게 죽느냐가 아니라, 어떻게 살아왔느냐에 달려 있는 것이다.

77.
참성직자

《대한시니어신문》 칼럼 2023.10.30.

보도에 의하면 중국 변방대 등에는 아직도 1,000여 명이 넘는 탈북자가 북송 대기 중이라고 했다.

반면 탈북민을 돕는 김성은 목사에 대한 기사가 소개됐다. (《조선일보》 2023.10.21. 자) 그는 탈북민을 돕는 일을 23년째하고 있다.

"그가 진행한 실제 탈북 과정이 다큐멘터리 영화 '비욘드 유토피아(Beyond Utopia)'로 제작돼 공개되자 세계는 경악했다.

그는 1,000여 명의 탈북민에게 도움을 줬고 한국으로 직접 데려온 탈북민만도 300여 명이 된다고 한다. 탈북하는 데 드는 비용은 북한에서 중국으로 오는 데만 5,000만 원이 넘고, 한국까지 오는 데는 한 명당 1억 원 가까이 든다고 한다. 비용은 후원금으로 진행된다. 정기적으로 마음을 보태주는 교인들이 있고, 그외 사회 각계로부터의 지원금으로 탈북을 돕고 있다.

또한 김 목사는 충남 아산에 2,100여 평의 땅을 마련해 탈북민 공동체 센터를 지어 30~40명이 지낼 수 있는 공간을 꾸렸고, 천안에는 3층짜리 교회 건물을 사서 1층 전체를 탈북민에게 무료로 내주고 있다.

또한 김 목사는 지난 6월 노르웨이에서 열린 국제 인권회의 '오슬로 자유 포럼'에서는 중국 정부의 탈북자 강제 이송 등에 대해 각성을 호소하기도 했다."

참으로 훌륭한 분이다. 진정한 성직자다. 국가도 할 수 없는 일을 개인이 혼자서 하고 있다. 단순히 인간의 생각과 의지만으로는 할 수 있는 일은 아니다. 신앙적 소명의식 없이는 불가능한 일이다. 진정한 신앙인이고 성직자라고 생각한다.

기독교(가톨릭과 개신교)에서는 믿음을 강조한다. 즉 하느님의 존재를 믿고 교회에 열심히 나가는 것을 믿는다고 하고 그렇게 하면 구원을 받는다고 가르친다.

그런데 혼동하는 것이 있다. 믿음을 단순히 존재론적 의미의 믿음으로 생각하는 경우다. 믿는다는 것은 모든 것을 맡기고 의지하고 신뢰할 수 있는 관계다. 바로 사랑의 관계다. 즉 믿음이 사랑이고 사랑이 믿음이라는 얘기다. 믿음 없이는 사랑할 수 없고 사랑하는 것은 믿을 수 있기 때문이다. 믿지 못하는 사람을 사랑할 수 있는가. 또 사랑한다고 하면서 믿지 못할 수가 있는가. 그러므로 믿음과 사랑은 같은 것이다. 그러므로 신앙인은 단순히 믿기만 하는 사람이 아니라, 사랑하고 행동하는 사람이다. 생각으로만 믿고 입으로만 기도하는 믿음은 믿음이 아니고 신앙이 아니다.

요즘 정의를 구현하겠다는 성직자들이 있다. 그런데 정의구현은 본연의 일에 충실하는 것이 정의 구현이라고 생각한다. 본연의 일이 아닌 어디 다른 곳에서 정의를 구현하겠다는 말인가. 이념에 끼어들려고 하는 것은 교만이고 허영이고 사치다. 맡은 자신의 일에 충실하는 것이 정의구현이고, 맡은 자신의 일에 충실하는 것이 사랑이며, 맡은 자신의 일에 충실하는 것이 신앙이다. 즉 각자 역할에 충실하는 것이 정의구현이다. 대다수 사람들의 눈살을 찌푸리게 하는 언행을 한다면 성직자가 아니다.

정의를 구현하겠다는 성직자분들은 정의가 무엇인지, 사랑이 무엇인지, 신앙이 무엇인지를 먼저 깨닫고 '사랑은 허다한 죄를 덮는다'고 하는 말과 같이 입으로만이 아닌 사랑을 실천하는 신앙인들이 돼야 한다.

김성은 목사와 같이 사랑을 실천하는 사람이 믿는 사람이고 참신앙인이며 그리고 성직자다.

78.

만족한
욕심

《대한시니어신문》 칼럼 2023.10.23.

《조선일보》 '아무튼, 주말'에 소개된 외다리 찹쌀떡 장수 최영민(48)씨에 대한 얘기다. 그는 7년 전 어느 TV 프로그램에 소개되기도 했다.

그는 열 살 때 왼쪽 다리를 잃고 고아로 자랐다. 그럼에도 그는 찡그리는 법이 없고, 모든 것이 즐겁고 감사하다고 한다.

그는 시급 9,700원짜리 알바는 다 해 봤다고 한다. 화장품 공장에서 뚜껑 닫는 일, 선반 제작 회사, 다이소에서의 물품 검사, 상조회사, 족발 만드는 일, 돼지 털 깎는 일, 의료기기 장사, 그리고 대리운전도 했다고 한다.

앞으로의 하고 싶은 일은 자신의 차를 가지고 전국을 돌며 과일장사하는 일이라고 한다.

그는 어릴 적 부모에게 버림받고 숙부, 숙모 밑에서 자랐다.

열 살 때 하굣길에 횡단보도를 건너다 버스에 치여 다리를 잃었고, 열

아홉이 되던 해에 혼자가 됐다. 너무 힘들어 죽을 고비를 여러 번 넘겼다고도 한다. 그러나 다리 하나 없다고 이렇게 절망할 일인가 하고, 생각을 고쳤다고 한다.

그러면서 그는 살 만한 세상이라고 말하고 있다. 누구는 돈 많은 큰 부자 되는 게 꿈일 수 있지만, 그러나 그게 전부는 아니라고 하며 얘기한다. "삶이라는 것은 소용돌이 속이에요. 누구든 예외가 없어요. 어차피 주어진 삶은 한 번이고요. 포기하지 말았으면 해요. 절망과 희망은 딱 한 글자 차이잖아요. 충분히 극복할 수 있습니다."라고.

그는 "행복하다"고 말한다. 괜한 말일까. 아니면 사실일까, 묻지 않을 수 없다. 그러나 사실이라고 필자는 믿고 싶다. 그 행복은 그 사람만이 느낄 수 있는 주관적 행복이다. 세상적으로 봤을 때는 누가 생각해 봐도 그를 행복한 사람이라고 말할 수는 없다. 그러나 주관적 느낌으로는 행복이 될 수 있다. 모든 행복이 다 주관적 행복이기 때문이다. 1억 원의 돈이 어느 사람에게는 행복이 될 수 있지만 다른 사람에게는 행복이 될 수 없는 것과도 같다. 그것은 돈 자체가 또는 물질 자체가 행복이 아니기 때문이다. 행복은 행복이 무엇인가를 깨닫는 것이 행복이다.

그는 또 "포기하지 말라"고 한다. 힘들다고 해서 쉽게 포기하는 사람들이 있는데, 그래서는 안 된다고 한다. 삶은 결코 쉽지 않다. 그러나 쉽지 않은 그것이 삶이 주는 가치고 의미다. 인간은 발전하고 완성돼 가야 한다. 그런데 쉬운 곳 또는 편안한 곳에서는 발전하고 완성될 수 없다. 그러기에 완성된 삶을 위해서는 힘든 과정을 참고 견뎌 내야만 한다.

그리고 그는 "삶이 즐겁고 감사하다"고 한다.

그 사람이라고 해서 힘들지 않겠는가. 그 사람이라고 해서 아프지 않겠는가. 그 사람이라고 해서 배고프지 않겠는가. 그러나 그럼에도 불구하고 그 사람은 삶이 즐겁고 감사하다고 한다. 그 이유는 힘듦이 힘듦 자체만이 아닌 힘듦의 의미와 가치를, 아픔이 아픔 자체만이 아닌 아픔의 의미와 가치를, 배고픔이 배고픔 자체만이 아닌 배고픔의 의미와 가치를 깨닫고 있기 때문이다. 그래서 즐거울 수 있고 감사할 수 있는 것이다.

최영민 씨는 현실에 만족할 수 있는 사람이다. 그래서 행복할 수 있고 감사할 수 있는 사람이다. 살아가면서 욕심을 부려서는 안 된다. 욕심과 행복은 상반되는 것, 욕심이 있는 곳엔 행복이 있을 수 없다. 욕심 자체가 만족스럽지 못함이기 때문이다. 현실에 만족할 수 있어야 행복할 수 있고 행복할 수 있어야 감사할 수 있다.

행복의 의미를 깨닫고 감사하는 삶을 살아가야 한다.

79.

용서의 오해

《대한시니어신문》 칼럼 2023.10.16.

용서란 지은 죄나 잘못한 일에 대하여 꾸짖거나 벌하지 아니하고 덮어 주는 것을 말한다. 우리는 세상을 살아가면서 잘못함에 대하여 서로 용서를 빌고 또 용서하며 살아간다. 그런데 용서의 오해가 있을 수 있다. 상대방은 잘못함이 없는데 잘못한 것으로 오해하고 일방적으로 용서한다는 얘기다. 그리고는 상대에게 덕행이라도 베푼 것처럼 큰 사랑이라도 베푼 것처럼 생각도 한다.

예를 든다면 필자는 일생일대의 큰 실수를 한 적이 있다. 살아오면서 힘든 때가 있었다. 그래서 그 삶을 한 권의 책으로 남겼고 그 책을 평소 존경하던 지인에게 주었다. 솔직히 관심과 위로를 받고 싶어서였다. 그런데 책은 분명 배달이 됐는데 연락이 없다. 분명 그럴 분이 아닌데, 더욱이 나의 힘든 과정을 기록한 책인데 어떻게 한 말도 없을 수 있을까 생각했고 시간이 흐르면서 그분에 대한 존경심은 불만으로 이어졌고 나중에는 불만의 마음이 미움으로 변하게 됐다. 그래서 나중에는 생각하지 말자, 잊어버리자, '내가 용서하지' 하고 힘들어했다.

그러던 어느 날 그분의 가족으로부터 연락이 왔다. 그분이 돌아가셨다는 것이다. 깜짝 놀랐다. 암으로 돌아가신 것이다. 그러니까 그동안 암으로 몇 년 동안 투병 중에 있으면서 연락을 하지 못했던 것이다. 그런 것을 가지고 미워하고 오해하고 그리고 선심이라도 쓰듯 용서한다고 했다.

이보다 더 큰 실수가 어디 있을까. 이보다 더 큰 잘못이 어디 있을 수 있을까.

그분은 잘못한 것이 없고, 용서의 대상도 아니었다. 그런데 용서한다고 했다. 15여 년이 지난 지금에도 죄송함을 지울 수 없다.

이것이 바로 용서의 오해다. 우리는 살아가면서 이와 같이 모든 일에 있어서 잘못 생각하고 잘못 판단하고 그리고 잘못된 결과를 낳고 있다.

모든 잘못은 나에게 있다. 그러면서 상대방이 잘못한 것처럼 생각한다.

남을 판단해서는 안 된다. 있는 그대로 사실을 볼 수 있는 지혜가 필요하다. 그러나 그것이 쉽지는 않다. 어렵다. 그렇다면 그것이 어렵다면 모든 사물을 처음부터 긍정적으로 보면 된다. 그것이 진실이고 사실일지도 모르기 때문이다.

모든 사물을 긍정적으로 보고 긍정적으로 생각하고 긍정적으로 판단하면 된다. 그러면 그 결과 또한 긍정적이 되지만, 부정적으로 보고 부정적으로 생각하고 부정적으로 판단하면 그 결과는 잘못된 오류를 범하게 된다.

우리 자신이 생각하는 것처럼 세상은 그렇게까지 왜곡되고 부정적인 것만은 아니다.

나의 생각이 부정적이니까 부정적 판단을 하게 되고 부정적 결과를 낳게 되며 후회한다.

사실을 있는 그대로 볼 수 있는 지혜가 없다면 긍정적으로 보면 된다.

긍정적으로 생각하면 삶이 편안해진다. 갈등이 없다. 그러나 부정적으로 생각하면 마음이 불편해진다. 그리고 갈등하게 된다. 사실이 긍정인데 잘못 부정적으로 생각하고 갈등하며 힘들게 살아갈 필요가 있는가.

긍정적으로 편안한 삶을 살아가자.

잘못 생각하고 잘못 판단하며 왜곡하고 오해하는 것은 큰 잘못이고 죄다.

80.

정의와 불의

《대한시니어신문》 칼럼 2023.10.10.

요즘 뉴스를 보고 있으면 우울한 마음이 들어가는 것은 어쩔 수가 없다. 밝고 희망찬 뉴스는 없다. 팔레스타인 무장 세력의 이스라엘 공격, 살인, 강간, 폭행, 사기 등등 희망적인 뉴스는 거의 찾아볼 수가 없다. 또 어느 논객(論客)은 거악(巨惡)을 얘기하고 있다. 법 위에 군림하는 일탈한 정치 권력을 거악이라 하고 있고, 이 거악이 일반 범죄 차원을 넘어 사법 기능까지 방해하고 법치를 공격하고 있다고 얘기한다. 일반적으로 범죄자는 법 앞에 꼬리를 내리지만 이 거악(巨惡)은 법을 겁내지 않고 정치적 영향력의 힘으로 법을 우회하고 무력화시킨다고 한다.

그런데 사실 그럴 수 있을까 하고 생각해 본다. 거악이 법과 정의를 우회하고 무력화할 수 있을까. 영구히 그럴 수 있을까.

인간의 역사는 항상 선과 악이 갈등하고 투쟁해 왔고, 현실 속에서도 마찬가지로 선과 악은 존재하고 있다. 그러면서 악이 법을 무력화하고 불의가 정의를 이기는 것같이 보일 수 있다.

또한 세상에는 빛과 어둠이 공존하며, 그리고 정의와 불의가 함께 공존한다. 때로는 악이 선을 이기는 것 같고, 어둠이 빛을 지배하는 것 같으며, 불의가 정의를 이기는 것같이 보일 수 있다.

그런데 그렇지 않다. 악이 선을 이길 수 없고, 불의가 정의를 이길 수 없으며, 어둠이 빛을 이길 수 없다. 세상은 진리대로 흘러가고 빛과 선과 정의가 있는 곳으로 간다. 악이 법을 무력화하고 불의가 정의를 이긴다면 그렇다면 세상에는 선과 정의가 존재해 있을 수 없고, 악과 불의만 존재해 있을 수밖에 없다.

물이 흘러가는 과정에는 암초도 있고 벼랑도 있고 온갖 걸림돌들이 있을 수 있다. 그러나 물줄기의 큰 흐름은 가고자 하는 곳으로 흘러간다. 빛과 선과 정의가 있는 곳으로 간다. 진리대로 흘러간다.

사람들은 말한다. "진리가 어디 있고 정의가 어디 있는가. "진리가 있다면 세상의 모든 불의와 부정과 온갖 비리와 죄가 저렇게 난무할 수 있고 악이 법을 무력화하며, 반면 정의대로 착하게 살아가는 사람들에게는 고통과 억압 속에서 힘들게 살아갈 수 있는가"라고 얘기한다. 그렇다. 당장 눈앞에 보이는 현실만을 바라보게 된다면 그 말이 맞는 것도 같다.

그런데 얘기했듯이 세상의 흐름은 큰 물줄기가 흘러가는 것과 같이 흘러간다. 물이 흘러가는 과정에는 불의와 부정과 온갖 죄와 그리고 거악이 존재해 있을 수 있다. 그래서 당장 현실만을 바라봤을 때에는 불의와 부정과 온갖 악의 세력들이 정의와 선을 이기는 것같이 보일 수 있고 또 그렇게 느껴질 수 있다. 그러나 물줄기의 큰 흐름은 갈 길을 간다. 진리대로 흘러간다. 악은 승리할 수 없다. 물론 그렇다고 가만히만 있어도 그렇게 된다는 얘기는 아니다.

걱정할 이유가 없다. 현실만을 바라보고 괴로워할 이유가 없고 현실만을 바라보고 우울해할 이유가 없다. 물줄기는 갈 길을 간다. 빛이 있는 곳으로, 선이 있는 곳으로, 진리가 있는 곳으로 간다.

그래서 세상은 날로 더 밝아지고 있고, 편리해지고 있으며, 법과 정의가 악을 심판하고 있다. 반드시 선과 정의는 거악을 이기고 승리한다. 이것이 진리다.

지혜의 삶

초판 1쇄 발행 2025년 6월 3일

지은이 임인택
펴낸이 이기봉
편집 좋은땅 편집팀
펴낸곳 도서출판 좋은땅
주소 서울특별시 마포구 양화로12길 26 지월드빌딩 (서교동 395-7)
전화 02)374-8616~7
팩스 02)374-8614
이메일 gworldbook@naver.com
홈페이지 www.g-world.co.kr

ISBN 979-11-388-4333-1 (03810)